La séduction de Charlotte

Un roman de la série
Les imprudences de la noblesse

La séduction de Charlotte

DIANA QUINCY

Traduit de l'anglais par
Michel Saint-Germain

ÉDITIONS

Éditeur : François Doucet
Traduction : Michel Saint-Germain
Révision linguistique : Nycolas Whiting
Correction d'épreuves : Nancy Coulombe et Féminin pluriel
Conception de la couverture : Catherine Belisle
Photo de la couverture : © Getty images
Mise en pages : Sébastien Michaud
ISBN papier 978-2-89786-376-0
ISBN PDF numérique 978-2-89786-377-7
ISBN ePub 978-2-89786-378-4
Première impression : 2018
Dépôt légal : 2018
Bibliothèque et Archives nationales du Québec
Bibliothèque et Archives nationales du Canada

Éditions AdA Inc.
1385, boul. Lionel-Boulet
Varennes (Québec) J3X 1P7, Canada
Téléphone : 450 929-0296
Télécopieur : 450 929-0220
www.ada-inc.com
info@ada-inc.com

Diffusion
Canada :   Éditions AdA Inc.
France :   D.G. Diffusion
                 Z.I. des Bogues
                 31750 Escalquens — France
                 Téléphone : 05.61.00.09.99
Suisse :   Transat — 23.42.77.40
Belgique :   D.G. Diffusion — 05.61.00.09.99

Imprimé au Canada

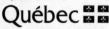 

Participation de la SODEC.
Nous reconnaissons l'aide financière du gouvernement du Canada par l'entremise du Fonds du livre du Canada (FLC)
pour nos activités d'édition.
Gouvernement du Québec — Programme de crédit d'impôt pour l'édition de livres — Gestion SODEC.

**Catalogage avant publication de Bibliothèque et Archives nationales du Québec et Bibliothèque
et Archives Canada**

Quincy, D. M. (Diana)

    [Seducing Charlotte. Français]
    La séduction de Charlotte / Diana Quincy ; traduction, Michel Saint-Germain.
    (Les imprudences de la noblesse ; tome 1)
    Traduction de : Seducing Charlotte.
    ISBN 978-2-89786-376-0
    I. Saint-Germain, Michel, 1951-, traducteur. II. Titre. III. Titre : Seducing Charlotte. Français.

PS3617.U55S4214 2018   813'.6   C2017-942391-6

Ce livre est dédié à mon père,
Hasan A. Hasan, avec amour et gratitude.

Chapitre 1

Diantre, où a-t-elle appris à faire cela ?

Le Marquis de Camryn perdit le fil de ses pensées sous l'effet des soins habiles de Maria Fitzharding. Il s'adossa contre l'arbre et, oubliant la fraîcheur du soir, baissa les yeux pour poser une main sur la tête de la femme agenouillée devant lui. La lueur bleutée que jetait la pleine lune sur ce corps permit à Cam d'entrapercevoir un impressionnant décolleté. Il avait déjà rencontré Maria une ou deux fois, lors d'activités sociales de la saison. Ce soir, la lady l'avait approché, et maintenant… Eh bien, il découvrait ses charmes.

Détournant la tête, il leva les yeux vers le manoir baroque qui luisait sur le velours de l'obscurité et dont les imposants belvédères de pierre montaient la garde contre le ciel nocturne. Des bribes étouffées de musique et de rire flottaient jusqu'aux vastes jardins, noyés par l'arôme corsé des fleurs cultivées. Des fragrances sombres et fruitées se mêlaient aux odeurs douces et vives. Son corps se tendit, et d'agréables sensations jaillirent entre ses jambes. Les yeux fermés, la tête penchée contre la rude écorce, il tressaillit en jouissant.

— Nous ne devrions pas flâner ici, ma chère, dit-il un peu plus tard en lui tendant la main pour l'aide à se relever. Quelqu'un va sans doute remarquer notre absence à tous les deux.

Une fois debout, elle lui lança un regard satisfait.

— Il n'y a pas de quoi nous inquiéter à cet égard, dit-elle. Mon mari est sans doute en train de faire la cour à sa maîtresse, ce soir.

Son mari ? Une douleur sourde palpita à sa nuque, présage d'une migraine. Il balaya de la main les feuilles accrochées à la jupe de la lady dont le parfum capiteux, un mélange de girofle et de romarin, lui piqua les narines.

— Laissez-moi vous raccompagner.

— Seigneur ! dit-elle en riant et en remettant en place ses boucles d'or coiffées. Ne nous faisons pas remarquer. Je vais m'en retourner la première afin qu'on ne nous voie pas ensemble.

Maria se retourna pour parler.

— Dites, Camryn.

— Oui ?

Ses yeux luisaient dans l'obscurité.

— J'ai hâte à notre prochaine rencontre.

Tout en gardant son sourire poli, Cam s'inclina, sachant qu'il ne poursuivrait pas une liaison avec une femme mariée.

— Vos attentions m'honorent.

Alors qu'elle s'effaçait dans l'obscurité, il finit de refermer sa culotte, encore quelque peu insatisfait.

Le vide s'étira dans sa poitrine. L'excitation physique de l'orgasme n'avait jamais paru si fugace. Cette sensation de vacuité lui rappela pourquoi il n'avait pas été avec une femme depuis des mois. Il appuya les paumes contre ses yeux pour combattre les élancements qu'il ressentait à la tête. Jadis, de tels rapports avaient été fort divertissants.

Le bruit d'un léger hoquet perça l'air. S'immobilisant, il tendit le cou. Cela se passa de nouveau, sauf que cette fois, c'était le petit bruit étouffé de quelqu'un qui tentait de contenir un éternuement. Quelqu'un de très proche.

Un picotement lui parcourut la peau.

— Qui est là?

Ces mots, graves et antipathiques, rencontrèrent le silence, à l'exception des bribes de musique et de conversations qui flottaient dans l'obscurité, en provenance de la maison principale.

— A-tchoum!

Cela revint, plus fort et sans contrainte.

— A-tchoum! A-tchoum!

Des éternuements distinctement féminins. Qui était-ce? L'air frais du soir empêchait la plupart des gens de se rendre jusque-là dans le jardin. Et aucune innocente demoiselle n'allait s'aventurer aussi loin seule. C'était peut-être une servante en mal d'accouplement.

Cam dégagea le souffle qu'il avait retenu.

— Viens tout de suite; te voilà repérée.

Il adoucit son ton, y injectant son habituelle amabilité.

— Autant te montrer.

Au bruissement des buissons succéda celui de jupes à froufrous et le claquement de cabrioles qui s'éloignaient nerveusement. Haussant les épaules, il se retourna pour parcourir à grandes enjambées le sentier menant au manoir, ignorant les délicates fleurs qu'il piétinait tant que leur parfum capiteux l'enveloppa et qu'elles le réprimandèrent pour son indifférence. Il se frotta les tempes pour en effacer le battement et réfléchit de nouveau à la fille mystérieuse qui se trouvait quelque part dans le noir. Peu importe qui était cette gamine, il regrettait qu'elle ait été témoin d'un tel spectacle.

À l'approche du manoir, des bruits étouffés attirèrent son attention. En faisant un effort, il vit deux personnes se débattre près de la fontaine de marbre blanc, juste sous la terrasse. Un homme en uniforme, grand et maigre, serrait une femme beaucoup plus petite et mince, en simples vêtements de servante.

— Non, s'il vous plaît, monsieur ! le suppliait-elle d'une voix flageolante.

Un rire bourru suivit.

— T'as de beaux nichons, chérie. Je parie que personne d'autre ne les a encore regardés.

L'homme se démenait avec les bras de la fille, et les paillettes et pompons de son uniforme dansaient à la lueur scintillante d'une torche.

Cam cligna des yeux et se concentra ; il eut la chair de poule en reconnaissant l'officier militaire dans la veste cramoisie. Il n'avait jamais ressenti beaucoup de sympathie envers Titus Boyle, l'un des nombreux fils du comte de Townsend. Ensemble, ils avaient fréquenté le collège d'Eton, mais Cam n'avait pas vu l'homme depuis qu'il était allé au combat sur le continent. D'après ce qu'il voyait, Boyle n'avait pas beaucoup changé.

La fille se débattait pour se dégager, mais Boyle la tira violemment contre lui, soulevant ses jupes de sa main libre et exposant des jambes gracieuses et fluettes.

— Voyons quels délices tu caches là-dessous.

Cam sortit de l'ombre.

— Boyle !

L'homme se retourna brusquement vers Cam. Des boucles noires tombaient en désordre sur un visage rougeaud aux traits raffinés. Il laissa tomber la jupe de la fille et dirigea vers Cam des yeux méfiants et injectés de sang.

— Arthur Stanhope ? C'est toi ?

— En chair et en os.

— D'après moi, tu ne devrais pas t'approcher aussi furtivement d'un gentleman, dit-il en montant le ton. J'ai entendu dire que tu avais reçu ton titre en héritage.

— Oui ; je m'appelle Camryn, à présent.

— Certains jeunes ont toute la chance, dit-il d'un ton amer. Quel veinard : ton oncle n'a engendré que des pétasses.

Cam se rappelait avoir entendu des rumeurs concernant la préférence de Boyle pour les vierges.

— Laisse la fille retourner à son poste.

Boyle serra la petite contre lui. Elle hurlait et remuait. Le désespoir dans ses yeux rappelait à Cam un animal pris au piège et qui savait qu'il était inutile de résister.

— Non, s'il vous plaît !

Elle paraissait n'avoir que 14 ans, peut-être moins.

— Mêle-toi de ce qui te regarde, Camryn. Cette novice est à moi.

Le dédain tordait le sourire de Boyle lorsqu'il ajouta :

— Tu pourras bien profiter de la fille lorsque j'aurai fini de la monter.

Cam voulut enfoncer ce petit sourire narquois dans la gorge de Boyle.

— Je te suggère fortement de la libérer.

— Va te faire voir. Ça ne te regarde pas.

Boyle frottait le derrière de la fille. Elle serra les paupières et sa poitrine se souleva.

— Elle devrait s'estimer heureuse qu'un homme de condition supérieure soit disposé à la culbuter.

— Cette fille est jeune et ne paraît pas consentante.

La douleur lancinante s'accentua dans sa tête.

— Laisse-la partir.

— Sinon?

Le ricanement de Boyle fit basculer le peu de patience qu'il restait à Cam. Il écrasa son poing sur le visage de l'homme, et ses jointures hurlèrent de douleur au contact du nez de Boyle. L'homme flageola un moment puis battit des bras dans un futile effort en vue de garder l'équilibre. Ses yeux se révulsèrent et il s'écrasa au sol avec un bruit sourd.

Cam secoua la tête. Boyle devait avoir perdu la tête pour s'en prendre subitement à une fillette. Serrant son poing lancinant, il se retourna vers celle-ci.

— Es-tu blessée?

Elle secoua la tête, le regard fixé sur l'homme étendu, inerte et en tas sur le plancher.

Cam réprima l'envie de donner un dernier coup brutal à l'ordure. Il adoucit plutôt le ton de sa voix.

— Dans ce cas, va-t'en. Et ne te promène pas seule quand ton maître reçoit.

Avec un sourire tremblotant, la fille fit une courte révérence avant de détaler. Cam la regarda un moment avant de grimper à pas vifs les marches de la terrasse et de se glisser à l'intérieur par une porte d'entrée.

— Ah, te voilà, Cam.

Sa cousine Willa, duchesse de Hartwell, se rapprocha de lui dès qu'il refit son entrée dans la salle de bal. Ce n'était pas une mince tâche dans cette foule d'invités qui dansaient et bavardaient dans l'immense salle à colonnades.

— Où étais-tu ? À quoi bon inviter le plus beau parti de Londres s'il ne se présente pas sur la piste de danse ?

— Mes excuses.

Tentant d'ignorer ses jointures brûlantes, Cam se pencha sur sa main à elle en disant :

— Je te promets de localiser la plus proche jeune femme qui n'a pas été invitée à danser et de lui offrir un tour.

Le mari de Willa, le duc, souleva un noir sourcil.

— Je suppose que nous devrions nous sentir honorés de ta présence, dit Gray Preston. Tu as récemment été d'une absence remarquée dans les rencontres sociales.

Cam cueillit un verre de champagne lorsqu'un valet de pied passa.

— À la Chambre des lords, plusieurs questions impliquant les luddites exigent mon attention.

— Y avait-il quelqu'un sur la terrasse qui exigeait aussi ton attention pleine et entière ? demanda Hart avec une torsion sardonique des lèvres.

— Un certain Titus Boyle.

Cam sirota du champagne pour effacer le goût sûr de sa bouche.

— Il aura peut-être besoin d'assistance pour retourner à sa voiture.

— Boyle ? dit Hart en grimaçant. Je ne te demande même pas ce que ce chenapan a fait cette fois pour attirer ta colère.

Il se tourna vers un valet de pied qui se tenait prêt, non loin, et lui murmura quelques instructions.

Willa semblait avoir d'autres préoccupations.

— Tu sembles fatigué, Cam. Tu ne devrais pas travailler autant.

— Je n'étais pas disposé à laisser le travail pour passer plusieurs jours à la campagne. Mais comme je suis incapable de te refuser quoi que ce soit, me voici.

— Imagine tous les cœurs qui se briseraient si tu négligeais de te présenter, dit-elle en le taquinant.

Le mariage au duc convenait à Wilhelmina. Avec ses boucles châtaines et sa peau d'albâtre, elle avait une grâce innée qui convenait à une duchesse.

Sirotant son verre, Cam observa la salle de bal bondée. L'orchestre jouait sur une mezzanine au balcon qui surplombait la foule de danseurs. Le cliquètement des verres et le murmure bruyant de dizaines de conversations remplissaient l'air qui, malgré les portes ouvertes de la terrasse, devenait chaud et humide.

— Ce qu'il te faut, c'est une femme, dit sa cousine. Je me donnerai pour mission de t'en trouver une, cette saison-ci.

— Tu peux maintenant t'attendre à avoir des problèmes, mon ami, dit le duc en écartant le valet de pied et en ramenant son attention vers le couple. Lorsqu'elle a une idée en tête, ma duchesse est intraitable.

— Willa est déterminée à m'infliger le même bonheur conjugal dont tu es incapable de te remettre.

— C'est plutôt juste, dit le duc, dont les traits anguleux furent adoucis par un sourire satisfait. Le mal qui m'afflige est sans espoir de guérison.

Les oreilles de Willa rougirent comme toujours lorsqu'elle était gênée. Son regard s'éloigna.

— Magnifique. Charlotte est arrivée. Cam, tu dois lui offrir une danse.

— Vraiment ?

Il ne voyait pas pourquoi. Ce bas-bleu sans humour était sans doute aussi peu disposé à danser avec lui que lui à se fiancer avec elle. Au moment où miss Livingston s'approcha, il s'empressa de vider son verre. Le liquide onctueux glissa dans sa gorge avec une chaleur qui irradia dans sa poitrine.

Elle portait une robe simple, de couleur foncée, qui ne corrigeait en rien sa taille élevée et sans formes. Leurs regards se rencontrèrent un bref instant avant que les deux se hâtent de se détourner, mais il eut le temps de la voir froncer dédaigneusement son petit nez en le voyant près de la duchesse.

Soucieux de garder une expression neutre, il dit à Willa :

— Peut-être que Hart voudrait danser avec elle.

Le duc gloussa.

— Je ne voudrais sûrement pas te refuser ce plaisir. Et puis, je vais offrir une danse à mon adorable duchesse.

Il inclina la tête vers la lady qui s'approchait.

— Miss Livingston.

— Votre Grâce.

Elle fit une courte révérence. Willa donna à peine à la femme le temps d'échanger les politesses habituelles avant de l'attirer à part pour une conversation animée. Il se demandait ce que sa cousine pouvait bien trouver à la froide et stridente miss Livingston.

À vrai dire, l'aspect de la lady s'améliorait un peu lorsqu'on l'examinait de plus près. Certains pouvaient même la trouver jolie, bien que falote. D'une grande taille pour une femme, elle avait les yeux les plus bleus qu'il eût jamais vus. C'était nettement son meilleur trait : comme un ciel insulaire, ils étaient clairs et sans nuages contre sa peau pâle et son nez ferme de patricienne. Ses cheveux bruns et sans caractère étaient séparés au milieu et formaient un austère chignon à la nuque. Son regard s'abaissa vers le modeste décolleté de sa robe simple, qui évoquait peu de courbes. Son goût allait plutôt aux femmes plantureuses aux hanches amples et aux pentes et vallées féminines abondantes.

— Tu te rappelles avoir rencontré mon cousin à Londres, dit Willa à Charlotte, ramenant les gentlemen dans la conversation.

Cam se rappelait certainement avoir rencontré une fois la fille du baron, plusieurs mois plus tôt, à l'un des salons de Willa, et avait peine à oublier l'ardente diatribe de la lady sur l'importance de l'instruction publique pour les masses.

Ce qu'il se rappelait le plus à propos de miss Livingston, c'était son manque absolu d'intérêt féminin envers lui. Non pas que cela lui eût importé, bien sûr. Mais s'il y avait une chose à laquelle il n'était pas habitué, c'était d'être ignoré par le sexe opposé. Il savait qu'il exerçait un certain attrait sur les femmes et, à l'exception des étranges langueurs qu'il avait connues dernièrement à l'égard du sexe, avait été plus qu'heureux de leur retourner leurs attentions.

— Milord.

Miss Livingston le regarda avec une expression courtoise, mais Cam détecta un éclair de malaise dans ces douces profondeurs bleues.

— Miss Livingston, quel plaisir de vous revoir ! dit-il en mentant tout en se penchant au-dessus de sa main.

Hartwell prit sa femme par le coude.

— Darling, allons danser, d'accord ?

Tout en regardant par-dessus son épaule, il emmena son épouse vers la piste de danse.

— Cam, peut-être miss Livingston te fera-t-elle l'honneur d'une danse, elle aussi.

Laissés seuls, ils restèrent d'abord face à face en silence pendant un instant de malaise. Puis il fit un sourire calme et poli, car il aurait sans doute été vain d'en faire plus avec cette femme.

— Miss Livingston, voulez-vous me faire l'honneur d'une danse ?

Elle pinça les lèvres.

— Je suppose qu'il m'est impossible d'y échapper. Après tout, le duc l'a presque ordonné.

— En effet.

Il réprima un soupir d'irritation. Normalement, ses prévenantes attentions envers les timides, les vieilles filles et les bas-bleus rencontraient une gratitude rougissante et ravie.

Lorsqu'ils eurent pris place parmi la foule humide et parfumée des couples dansants, il posa la main sur la taille svelte de la lady et la guida pour une valse. Au moins, sa taille était assortie à la sienne, et elle se déplaçait avec une aise gracieuse. Étonnant. Son subtil parfum floral lui taquina les narines, déclenchant le besoin inattendu de se pencher en avant pour l'inhaler davantage.

— Vous êtes une danseuse accomplie, miss Livingston.

Les extraordinaires yeux azur le considérèrent.

— Il n'est pas tellement courtois de votre part de paraître si étonné.

Il l'était néanmoins. Elle ne semblait pas du genre à passer beaucoup de temps dans des salles de bal. Il supposait qu'elle consacrait la plupart de ses journées à ses causes.

— Pàs du tout, dit-il avec une galanterie exercée. Votre carnet de bal est sans aucun doute toujours plein à craquer.

Son front plat s'éleva avec un amusement évident.

— Pas tellement. Vous ne m'auriez pas demandé de danser si monsieur le duc ne vous y avait pas forcé.

Sa voix ne correspondait pas à son apparence guindée. Elle était onctueuse et riche, avec une subtile touche d'épices, une sonorité résonante qui satisfaisait les sens comme une fine et chaude liqueur par une soirée d'hiver en solitaire.

— Êtes-vous toujours aussi directe, miss Livingston?

Elle lui répondit par un rire de femme, mûr et guttural, qui n'était pas le gloussement efféminé que cultivaient la plupart des jeunes filles bien élevées.

— Au grand désespoir de ma mère. Hélas, il y a des fois où je ne peux tout simplement pas empêcher les mots de s'échapper.

— Allons donc.

Elle n'était pas une reine de beauté, mais plus il la regardait et faisait sa connaissance, plus miss Livingston dégageait une allure élusive, un quelque chose d'indescriptible qu'il ne pouvait tout à fait identifier. Peut-être était-ce la translucidité de ses yeux qui les faisait paraître infinis. Il était presque renversé en contemplant ces profondeurs.

— Oui, en effet, dit-elle aimablement, inclinant la tête vers les demoiselles au visage dépourvu d'expression qui flottaient autour d'eux. Je regarde leur mine et je me demande comment elles y arrivent.

Elle pencha la tête, comme pour considérer la pensée.

— Pourquoi s'insultent-elles en faisant semblant de ne pas avoir de cervelle ? La plupart des femmes de ma connaissance sont plutôt intelligentes.

— Je crois qu'elles le cultivent avec détermination.

Il la guida dans un autre virage en douceur, qu'elle suivit adroitement.

— Une expression timide et gentille est considérée comme étant désirable pour une jeune fille d'un certain statut.

— Hmm, alors, j'ai bien peur que ma mère ait raison. Ma cause est perdue.

L'hilarité teinta ses yeux pétillants.

— Je suis sûre que je ne pourrais pas maîtriser ce regard vide, même si je le voulais. Et retenir ma langue pourrait représenter un défi.

Cette fois, c'était son tour de rire.

— Je commence à le voir.

Elle n'avait pas la langue dans sa poche. Peut-être avait-il jugé trop sévèrement l'attrait de miss Livingston, ne s'étant jamais engagé dans une conversation avec elle avant ce soir-là. Malgré le ton fracassant des essais qu'elle avait publiés sur la réforme sociale, la lady même semblait avoir le sens de l'humour. Et elle paraissait un peu moins quelconque alors qu'elle flottait dans ses bras, le rouge aux joues, les yeux fascinants et pétillants d'intelligence.

— Je doute que vous puissiez passer pour une écervelée, miss Livingston. Et même si vous arriviez à faire semblant, vos écrits plutôt impressionnants vous trahiraient.

Elle sourit, ce qui attira l'attention de Cam vers sa bouche. À la différence des lignes minces et sobres de son corps, ses lèvres étaient dodues et d'une rondeur succulente. Il fut assailli par une envie soudaine et inattendue de les goûter. Étonné, il la repoussa.

— Comme si vous aviez lu mes essais.

Il lui fallut un moment pour revenir à leur conversation. Ah, oui, ses essais.

— En effet. Et je les ai appréciés.

Sa surprise évidente l'amusa. De nouveau, ils tournoyèrent copieusement.

— Même si votre propos est quelque peu erroné.

Elle se raidit, et l'indignation affleura dans ces yeux brillants.

— Je vous demande pardon ?

— Vos essais sur les luddites sont d'une écriture brillante, bien sûr. Toutefois, je trouve quelque peu naïf le sentiment qui les anime.

Il sourit en s'apercevant qu'il prenait plaisir à la conversation.

— Vous avez une tendance malheureuse à idéaliser les casseurs de machinerie. Il ne peut y avoir d'excuse légitime à un tel comportement illégal.

Ses narines se dilatèrent.

— La machinerie réduit leurs salaires à une époque où le prix de la nourriture est plus élevé que jamais, dit-elle avec emportement. Les feux sont éteints dans leurs âtres, et leurs enfants meurent de faim. Je crois que c'est vous, milord, qui êtes naïf.

Ses yeux étaient encore plus adorables lorsqu'ils étaient allumés par la passion. Le désir réchauffa le membre de Cam. *Sauve qui peut !* Que se passait-il donc ?

— La vie de la classe ouvrière n'a jamais été idéale, répondit-il en tentant d'ignorer les pulsations de sa queue.

En définitive, la machinerie pourrait être avantageuse pour tout le monde, y compris la classe ouvrière.

Elle plissa le nez.

— Elle l'est certainement pour les propriétaires d'usines qui touchent des profits plus élevés en diminuant les salaires et en réduisant le nombre d'heures de travail.

Elle n'était pas une jeune écervelée. C'était rafraîchissant. Le lancinement commença à s'atténuer dans sa tête. Désireux de participer à un débat animé sur le sujet avec miss Livingston, Cam voulut répondre, mais la musique de plus en plus forte l'en empêcha. Le crescendo du mouvement rendait difficile toute conversation.

• • •

Tout en dansant avec le marquis de Camryn, Charlotte devenait fort consciente des regards envieux que lui lançaient discrètement les jeunes filles en quête d'un mari. Elles n'avaient pas à s'inquiéter. Camryn ne dansait avec elle que par courtoisie, ce qui lui convenait parfaitement. Elle préférait de loin les penseurs d'avant-garde de ses cercles, des intellectuels préoccupés par des problèmes sociaux pressants. Même si ces hommes n'étaient pas particulièrement passionnants.

Contrairement au marquis de Camryn. Avec son allure racée et sa silhouette svelte et musclée, il exsudait une nature physique qui faisait palpiter les entrailles des filles. Même lorsque celles-ci auraient plutôt dû se méfier.

— Eh bien, miss Livingston, dit-il lorsque la musique s'atténua et que les boucles ébouriffées de ses cheveux couleur ambre se mirent à chatoyer à la lueur des chandelles. J'ai nettement été négligent en ne sollicitant aucune place dans votre carnet de bal. Vous devez me promettre une valse à chacune de nos rencontres.

Elle sourit avec un amusement sincère.

— Prenez-vous une timide en pitié, monsieur le marquis ?

— Certainement pas.

Camryn la considéra en baissant les paupières, ce qui attira l'attention de Charlotte vers les minuscules grains d'or qui parsemaient ses yeux verts comme la mer. Ces yeux rieurs, dont les coins se plissaient même lorsqu'il ne souriait pas, donnaient l'impression d'un perpétuel amusement.

— Vous savez sûrement que vous êtes la dernière femme à mériter la pitié.

Il parlait doucement, comme étonné par ses propres mots.

— Celui qui mérite de la sympathie, c'est plutôt le gentleman qui tombe sous votre charme.

— Oh ?

Avec un certain agacement, elle sentit flageoler son cœur.

— Dites-moi, pourquoi donc ?

— Je sens que très peu d'hommes seraient à votre hauteur, dit-il d'un ton mesuré, comme si la pensée venait tout juste de lui venir. La plupart seraient incapables de résister à vos charmes.

Cette fois, elle ne sentit pas que des palpitations ; son cœur cogna si fort contre sa poitrine qu'elle craignit qu'il le voie battre sous sa robe de soirée.

— J'ai bien peur de ne jamais avoir été accusée de posséder des charmes.

— C'est exactement cela. Ils sont bien cachés, mais ceux qui auraient la chance de les apercevoir seraient absolument vaincus bien avant de s'en rendre compte.

S'en voulant de se laisser troubler par lui, elle fit un rire forcé et guindé.

— Vous avez la langue bien pendue, monsieur le marquis.

— Je fais de mon mieux, répondit-il d'un ton velouté.

Elle se sentit le corps envahi par la chaleur. Ils ne semblaient plus parler de la même chose. Bon sang, c'était mieux lorsqu'il ne faisait aucun cas d'elle. La façon dont Camryn la considérait à présent faisait sourdre en elle une curieuse chaleur.

— Bon sang, nous sommes à l'étroit, ici, dit-elle, impatiente de s'éloigner de lui.

L'homme dégageait une énergie qui la rendait nerveuse, ce qui était absolument ridicule. Plus que tout le monde, elle le savait débauché. Grands dieux, les images étaient gravées dans son cerveau.

Le visage de bronze de Camryn fut plissé par un froncement de sourcils.

— Êtes-vous souffrante ? Vous paraissez empourprée.

Il mena leur valse vers les portes ouvertes de la terrasse et s'arrêta devant elles. Il la dégagea et lui offrit son bras.

— Peut-être un peu d'air frais vous fera-t-il du bien.

Diable. Charlotte ne pouvait imaginer de façon gracieuse de refuser. Résignée, elle prit son bras, traversant lentement la terrasse où se mêlaient également d'autres invités en remplissant la nuit de leur folâtre bavardage. Elle inspira profondément l'air vif, et sa fraîche âpreté remplit sa poitrine, contrastant avec le bras chaud et musclé qui lui soutenait la main.

Il examina son visage.

— Vous allez mieux ?

Non.

— Oui, merci. Je vais bien. Vraiment.

De sa main libre, elle lissa le corsage de sa robe.

— Je ne suis pas folle des grandes fêtes mondaines. À vrai dire, je les évite autant que possible.

Il opina de la tête en signe d'accord.

— Moi de même.

— Je suis venue voir Willa, ma plus chère amie. Êtes-vous ici pour la même raison ?

— En partie. J'ai aussi des affaires à régler.

— Des affaires ? Le Cheshire est loin de Londres.

— Non, pas à la Chambre des lords. J'ai une usine dans les environs.

L'air vif devint glacial et piquant dans ses poumons. Avec hésitation, elle retira sa main de son bras à lui.

— Une usine ?

Il posa une main contre son torse.

— Vous n'adhérez pas, j'espère, à cette idée, répandue parmi le beau monde, selon laquelle il est indigne d'un gentleman de s'adonner à une entreprise ?

La tension épuisait les muscles entre ses épaules.

— Quel genre d'usine ?

— J'ai une usine de production textile.

— J'aurais dû m'en douter.

Elle sentit un feu dans sa poitrine en s'apercevant que le marquis de Camryn était bien pire qu'un simple débauché.

— Vous êtes un industriel.

— Vous vous offusquez du fait que je tâte d'une entreprise ?

— Vous tâtez ? dit-elle en élevant la voix. Votre soi-disant tâterie ne donne aux artisans du textile aucun moyen de nourrir leurs familles.

— Les métiers à tisser mécanisés sont l'avenir, comme nous venons d'en discuter.

Il parlait d'une manière calme, presque désinvolte, comme si le fait de gâcher la vie des gens lui venait tout aussi naturellement qu'une promenade sur la terrasse.

— Peut-être aimeriez-vous visiter l'une de mes usines pour enquêter vous-même.

— Je sais tout sur le traitement qu'on réserve aux travailleurs dans ces endroits, monsieur le marquis.

Elle avait déjà visité des usines. Elle avait vu des gens s'activer dans des édifices sales et surchauffés, sans ventilation. La poussière engorgeait l'air, et des fibres en y flottant s'insinuaient dans les poumons des ouvriers en leur volant leur souffle. Leurs enfants tombaient souvent malades à force de passer de la chaleur de l'atelier à l'air froid et humide de l'extérieur. Parmi les plus jeunes, beaucoup avaient une respiration haletante et bruyante et les poumons enflammés. Il baissa son bras tendu.

— Vous ne connaissez rien de mes usines.

Des usines. Il en a donc plus d'une.

— Je comprends parfaitement que vos métiers mécanisés privent de leur gagne-pain des tisserands affamés. Tout cela pour que des hommes comme vous puissent garnir leur bourse déjà considérable, ajouta Charlotte, qui tremblait de tout son corps. Et les déplorables conditions de travail des usines comme les vôtres sont bien connues.

Elle s'écarta, incapable de se trouver en présence d'un homme responsable de la dévastation de tant de vies. Elle s'aperçut qu'ils étaient fort éloignés des autres invités et plutôt seuls sur la section de la terrasse accrochée au côté du manoir.

De longs doigts implacables se refermèrent autour du haut de son bras, et cet étau entravait son départ.

— Comment osez-vous me toucher ?

Elle pivota sur elle-même, la poitrine soulevée par l'indignation.

— Lâchez-moi immédiatement.

Camryn se pencha davantage jusqu'à ce que son visage rougeaud soit à quelques centimètres du sien.

— Qu'est-ce qui vous permet de former des suppositions ignorantes sur mon caractère ?

Même si les paroles étaient prononcées à voix basse et contenue, elles étaient frémissantes de pouvoir et d'agressivité.

— Je ne fais aucune supposition sur la qualité de votre caractère. Vos gestes parlent d'eux-mêmes.

— Ah, vraiment ?

Son parfum masculin et musqué enveloppa Charlotte et lui fit prendre conscience de leur proximité. Elle sentit dans son haleine l'arôme du champagne, pierreux et fruité. Il eut le corps parcouru de vagues ondulantes de tension qui roulèrent sur son corps à elle. Quelque chose se mit à changer dans son corps.

Le regard de feu de Camryn la tenait captive, aussi sûrement que si ses pieds étaient enracinés dans la terrasse de pierre. L'air grésillait autour d'eux, chargé de quelque chose d'autre que la colère. Charlotte inspira et tenta de remplir ses poumons. Juste alors, les lèvres de Camryn vinrent s'écraser contre les siennes.

Chapitre 2

Charlotte eut d'abord le réflexe de le repousser. Mais dès que la bouche de Camryn toucha la sienne, ses pensées s'éparpillèrent comme des oiseaux réagissant à une détonation.

Fermes et insistantes au départ, ses lèvres exigèrent une réponse. Puis elle sentit qu'il inspirait vivement et que sa bouche mollissait. Les lèvres à la fois fermes et douces glissèrent contre les siennes, par petits pincements réfléchis et ravissants. Cela goûtait bon, même : un mélange de champagne vif et doux et de quelque chose d'uniquement et ardemment mâle. Si la passion avait un parfum, c'était bien celui-là.

Elle fut embrasée d'une délicieuse chaleur, de son cœur à son ventre, ainsi qu'en d'autres endroits auxquels elle n'avait pas tellement l'habitude de songer.

Il poussa un murmure guttural, comme s'il avait goûté quelque chose de délectable. Des mains fortes et assurées se glissèrent pour la prendre par la taille et l'attirer vers lui. Il fit danser sa langue, humide et chaude, sur les commissures de ses lèvres. Le mouvement la ramena brusquement à la raison, et elle s'écarta, son cœur hurlant si fort qu'elle crut le voir bondir de sa poitrine.

Le visage de Camryn s'empourpra. Ses yeux allumés dégageaient la surprise et quelque chose de plus brut, presque sauvage. Il se rapprocha.

Elle recula.

— Non, murmura-t-elle d'une voix tremblante. Je me demande, monsieur le marquis, s'il vous arrive d'avoir quelque pudeur.

Affolée, elle s'aperçut qu'elle était au bord de la pâmoison. Elle se détourna, espérant qu'il ne le remarque pas, priant pour que ses membres chancelants ne la lâchent pas avant qu'elle soit revenue en trébuchant vers la sécurité de la salle de bal.

• • •

Quand miss Livingston se déroba au baiser, l'étonnement et la brume de désir qu'elle avait dans ses yeux infinis déchaînèrent une vague de désir déferlant jusqu'à la queue de Cam. Les joues hautes et anguleuses de Charlotte étaient rougies par l'élan de la passion, et ses lèvres duveteuses, roses et gonflées. Elle paraissait considérablement moins quelconque. En fait, elle paraissait presque… attirante.

S'efforçant de calmer son corps en furie, son regard se fixa sur la silhouette longue et souple qui prenait la fuite. Il accorda peu d'attention à la simple feuille qui se dégagea de ses jupes au froufrou indigné en voletant silencieusement.

• • •

Ce soir-là, il dormit par à-coups et s'éveilla en sursaut juste après l'aube, agité. Après avoir mis quelques vêtements à la hâte, il se dirigea vers les étables, désireux de se livrer à une promenade solitaire à cheval avant que les autres invités se réveillent. Dans le ciel, d'impétueux nuages menaçaient, assombrissant le paysage onduleux. À mesure qu'il s'avançait dignement dans l'herbe, la rosée du matin laissait des mouchetures humides sur ses bottes de cheval en cuir usé.

Il remarquait à peine les alentours, car ses pensées étaient remplies de la veille et de la source de son trouble. Il n'avait pas eu l'intention d'embrasser miss Livingston. *Charlotte*. Et il ne savait pas tout à fait pourquoi il l'avait fait. Un bref instant, il avait été furieux du jugement présomptueux qu'elle portait sur lui. Elle n'avait pas à lancer des calomnies sur ses usines et le traitement de ses ouvriers, dont elle ne savait rien. Ses lèvres avaient aussitôt dévoré les siennes, buvant le nectar qui s'y trouvait comme s'il ne pouvait s'en passer.

Cam passa ses deux mains à travers sa chevelure. Sa réaction le rendait perplexe. Avec sa taille fine et sa nature sérieuse, Charlotte n'était pas le genre de femme qui l'attirait normalement. Elle était absolument différente des femmes voluptueuses et flamboyantes avec lesquelles il frayait d'habitude. Et pourtant, l'embrasser et enlacer sa douceur élancée lui avait fouetté le sang et, le cœur battant, il avait eu l'impression d'avoir couru comme jamais dans sa vie.

En somme, cela n'avait en rien été banal.

Le fait de savoir qu'il avait pris des libertés avec une lady de bonne naissance, une innocente, le tourmentait aussi. Il n'avait jamais franchi cette limite. Peut-être l'avait-il outrepassée parce que Charlotte ne semblait pas innocente. Elle n'était pas jeune et folle, comme la plupart des coquettes à marier.

Son insondable attirance envers elle provenait peut-être aussi du défi qu'elle représentait. Jusqu'à la veille au soir, elle avait fait peu de cas de lui. Par contre, il ne voulait peut-être que lui ôter son air de dédain. Ou faire taire les insultes qu'elle proférait. Quelle que fût sa motivation, il lui devait des excuses et avait l'intention de les lui présenter.

Alors qu'il s'approchait des étables, un séduisant jaillissement de rires féminins interrompit le fil de ses pensées. Elle apparut, et il se sentit le cœur plus léger. Partiellement visible à la porte de l'étable, Charlotte discutait avec quelqu'un que Cam, d'où il était, ne voyait pas. Penchée en avant, elle riait de bon cœur, avec chaleur et affection, et ses incomparables yeux bleus scintillaient alors qu'elle répondait à une remarque de son interlocuteur. Le mouvement la fit sortir de son champ de vision jusqu'à ce qu'elle recule à nouveau, une expression spontanée au visage. Avec une intimité saisissante, elle tendit le bras vers celui de son compagnon. Une irritation frappa Cam d'un coup de poignard au ventre.

— Bonjour, miss Livingston! cria-t-il. À ce que je vois, je ne suis pas le seul à me lever tôt au manoir Fairview, cette semaine.

Elle regarda dans sa direction, et elle n'écarquilla les yeux que lorsqu'elle se rendit compte de sa présence.

Elle s'écarta doucement de la personne à laquelle elle était en train de parler, et Cam accéléra le pas, désireux de voir en compagnie de qui elle pouvait tant se plaire. Contournant l'embrasure qui donnait sur l'étable caverneuse, il ne vit d'abord personne, à part un valet qui s'éloignait. Cam balaya les lieux du regard. Elle ne se serait certainement pas permis une telle familiarité avec un garçon d'étable. Il regarda encore Charlotte, et toutes ses questions ou intentions courtoises avaient à présent disparu de son esprit.

Elle ne portait pas de costume d'équitation. Non, elle s'était vêtue d'une culotte de cheval, tout comme n'importe quel dandy. Sa cousine Addie, un parfait garçon manqué qu'il appréciait beaucoup, l'avait fait à l'occasion, mais jamais en société. Et certainement pas avec un tel résultat.

Ce tissu couleur fauve caressait les courbes subtiles de Charlotte d'une façon qui n'était absolument pas masculine. Les yeux de Cam s'agrandirent tandis qu'une autre partie de son anatomie se dressa avec intérêt.

— Quelle surprise de vous trouver debout si tôt, milord!

— Êtes-vous disposée à faire de l'équitation, miss Livingston?

Elle écarta les bras comme pour étaler ses vêtements.

— Il semblerait que oui.

Le mouvement attira de nouveau le regard de Cam vers sa culotte de cheval et la façon ravissante dont le tissu moulant épousait le contour délicat de ses hanches pour descendre le long d'une jambe qui paraissait sans fin.

— Si c'est un exemple de votre tenue d'équitation habituelle, je vois pourquoi la pauvre lady Livingston est souvent scandalisée.

Elle baissa le regard vers sa culotte, et ses yeux s'agrandirent comme si elle l'avait tout à fait oubliée.

— Oh, dit-elle. Je ne rencontre jamais d'autres invités d'une aussi bonne heure. Je suis habituellement réveillée avant tous les autres, et je reste dans le confort et la sécurité de mon appartement.

Elle darda rapidement son regard vers lui.

— Je dois avouer que je suis abasourdie de vous voir réveillé avant midi. Je croyais plutôt que les activités d'hier soir vous avaient épuisé.

Faisait-elle allusion à leur altercation ? Ou au baiser ?

— Je suis surtout content de m'être éveillé tôt ce matin.

Il donna à son sourire un air malicieux.

— Rien dans mon appartement n'est aussi ravissant que le fait de vous voir dans cette culotte.

Elle rougit, ce qui fit apparaître des stries rose vif sur son teint pâle. Curieusement, aujourd'hui, il la trouvait beaucoup moins quelconque. Ces étonnants yeux azur, mis en valeur par un nez droit et des lèvres roses et charnues, ressortaient vivement contre une peau soyeuse. Elle était agréablement dépourvue d'artifice. Ce qu'il aurait trouvé quelconque la veille lui semblait tout naturellement attirant ce matin. Surtout qu'elle ne le regardait pas avec une franche dérision.

— Nathan est en train de seller une monture pour moi.

Le fait qu'elle nomme lestement l'écuyer par son prénom lui fit délaisser la courbe de ses hanches. Ainsi donc, elle connaissait le nom du valet. C'était inhabituel pour une invitée en visite.

Le valet qu'elle appelait Nathan, un mince et grand ingénu aux cheveux noirs, fit avancer son cheval.

— Et voilà, miss. Soyez prudente au cours de votre sortie, ce matin. Le garde-chasse a encore des ennuis avec les braconniers.

Il tapota les flancs du cheval.

— Et Flame peut être nerveuse lorsqu'elle entend des bruits soudains.

Il regarda Cam.

— Bonjour, monsieur le marquis.

Cam remarqua que le ton du valet était quasi insolent.

Cam inclina la tête, faisant signe à l'un des autres garçons d'écurie de seller son étalon. Ramenant son attention vers Charlotte, il dit :

— Peut-être me permettrez-vous de me joindre à vous.

— Seigneur, Camryn, vous n'avez pas à me montrer une déférence. Après tout, monsieur le duc n'est pas ici pour vous y obliger. Si vous vous êtes esquivé de bonne heure pour profiter d'une promenade en solitaire, je ne vous embarrasserai pas de ma compagnie.

— Ce n'est d'aucun embarras, à moins que vous soyez une cavalière novice.

Il la taquinait expressément, dans l'espoir de revoir dans ses yeux le même éclat que la veille.

— J'aime, c'est vrai, bien faire courir mon coursier.

Ses yeux d'un bleu de cristal s'allumèrent exactement comme il l'avait espéré.

— Et moi de même, dit-elle, hérissée à l'idée qu'on remette en question son talent de cavalière.

— De plus, s'il y a des braconniers à l'œuvre, vous ne devriez pas vous promener seule.

— Très bien, promenons-nous ensemble.

D'une main douce et pâle, elle caressa l'encolure de son cheval. La ligne effilée de ses minces doigts lui parut étonnamment féminine et délicate pour une femme aussi exercée.

— Flame et moi, nous allons très bien nous entendre, n'est-ce pas, ma fille ?

Un jeune et mince valet fit avancer le puissant étalon noir de Cam tout en tenant la bride d'une poigne ferme alors que le massif animal renâclait et caracolait en escomptant son plaisir.

— C'est toute une bête que vous avez là.

Charlotte parcourut d'un regard admiratif l'encolure élégante et arquée d'Hercule, jusqu'à la musculature prononcée qui ondulait sous le pelage luisant, couleur de nuit.

— Ce doit être tout un défi.

Cam prit les brides des mains du valet soulagé et les serra d'une main ferme.

— Je m'aperçois que je suis attiré par des bêtes magnifiques et apparemment indomptables.

Il crut l'entendre grogner, mais il n'en était pas sûr, car elle lui tourna le dos et sauta sur le marchepied. Se hissant sur la selle, elle balança sur le côté de sa jument l'une de ses jambes élancées. Elle avait donc l'intention de monter à califourchon. Cela expliquait la culotte.

Elle s'aperçut qu'il souriait et sourcilla.

— Je vous avertis. Je peux être fort peu délicate.

Il grimpa prestement sur Hercule, laissant son regard glisser vers la culotte. Elle avait beaucoup plus de courbes qu'il l'avait présumé.

— Soyez rassurée, aucun gentleman qui a le plaisir de vous voir ainsi n'oublierait que vous êtes une femme.

Le valet toussota, gardant sa posture rigide. Il restait planté près de la monture de Charlotte, serrant la bride du cheval d'une façon qui paraissait presque territoriale. L'homme eut à peine le temps de s'écarter avant que Charlotte éperonne vivement sa jument, qui décolla au galop.

Cam secoua la tête et sourit avant d'envoyer Hercule voler à sa suite. Il ne put s'empêcher de ralentir un peu pour admirer la vue que lui allouait cette culotte. Elle se pencha bien bas sur l'encolure de sa jument, qui accélérait en courant à fond, ses minces hanches rondes repoussées vers l'arrière à un léger rythme de haut en bas. Cam sentit sa bouche se dessécher. Bon sang, elle montait bien.

Détournant de force son attention du délectable derrière de Charlotte, il lâcha la bride de son puissant étalon pour la rattraper. Les vastes espaces verts entourant le manoir Fairview étaient conçus pour une telle promenade, de longues et douces prairies parsemées d'arbres et qui s'étendaient à perte de vue. De magnifiques bandes de fleurs sauvages tapissaient le paysage de vibrantes nuances de jaune, de violet et de lavande. Cam inspira l'air matinal, savourant le parfum vif d'un nouveau jour et un sentiment inattendu de bien-être.

Charlotte et lui étaient tous deux des cavaliers accomplis, et bientôt, ils s'incitèrent mutuellement à faire de petits bonds. Mais il se déroba lorsque Charlotte voulut passer à des sauts plus difficiles.

— J'ai bien peur que ce ne soit pas approprié, dit-il d'un ton insistant. Les sauts plus élevés sont trop dangereux.

Elle lui lança un regard sceptique.

— Et moi qui vous prenais pour un gentleman intrépide !

Cam sourcilla. Elle devait maintenant faire allusion au baiser. Il inspira profondément. Il était temps de lui fournir des excuses tardives. Cette fichue culotte l'avait distrait.

— Miss Livingston…

Mais elle avait déjà décollé, filant vers le saut redoutable. Il la suivit, admirant la façon intrépide et déterminée qu'elle avait de s'élancer en l'air, retombant facilement de l'autre côté des haies basses. De toute évidence, la culotte l'aidait à s'exécuter aussi bien que n'importe quel gentleman.

Il s'y livra à son tour, se rapprochant d'elle.

— Je vois à présent pourquoi vous choisissez de ne pas porter de vêtements d'équitation appropriés.

Elle le gratifia de son regard exquis.

— Il semble que vous ne soyez pas trop soucieux de votre accoutrement d'équitation, vous non plus.

— Vous avez bien raison, évidemment.

Il baissa les yeux vers sa propre chemise blanche froissée et ses bottes brunes et usées. Il ne se donnait jamais la peine de réveiller son valet pour ses promenades matinales.

— Je vais devoir relever mon valet de ses fonctions dès notre retour.

Elle tourna brusquement la tête vers lui.

— Vous n'êtes pas sérieux.

— Vraiment.

Cam haussa les épaules pour cacher son irritation devant le fait qu'elle avait une aussi piètre opinion de lui.

— Je vais le mettre à la porte dès que je l'aurai fait sortir du donjon de Hartwell.

Les minuscules rides de froncement qu'elle avait entre les sourcils s'effacèrent.

— Vous vous moquez de moi, dit-elle en faisant tourner sa jument en direction du manoir.

— Pourquoi donc croiriez-vous cela? dit-il alors que sa monture rejoignait celle de la cavalière. Après tout, mon valet, Onslow, est habitué aux conditions de travail les plus dégradantes.

— Vous croyez peut-être que les épreuves qu'endure la classe ouvrière sont propices à l'hilarité, mais je vous assure, milord, que ce n'est pas mon avis.

Frustré, il se frotta le dos de la main.

— Comme vous n'avez jamais visité aucune de mes usines, vous n'êtes pas bien placée pour les juger.

— Je sais qu'elles mettent des tisserands au chômage. Je ne sais pas pourquoi je serais étonnée de votre implication. Vous êtes clairement le genre d'homme qui prend ce qu'il veut.

Elle doit encore faire allusion au baiser. Il se racla la gorge.

— Miss Livingston, je vous dois des excuses pour hier soir.

Elle plissa des yeux.

— Je vous demande pardon ?

— J'ai pris des libertés avec votre personne. J'espère que vous accepterez mes excuses les plus sincères.

Elle comprit, et une sorte de déception se dessina sur son visage.

— Vous êtes un tel gentleman.

Elle le considéra de son regard indéchiffrable.

— Vous n'avez pas à vous excuser pour un banal baiser. Bien sûr, j'accepte vos excuses si cela peut vous soulager l'esprit.

Elle secoua les rênes, pressant sa jument à trotter et le laissant derrière elle.

Un banal baiser ? Il fronça les sourcils. Ses efforts amoureux n'avaient jamais reçu cette étiquette. Et Charlotte semblait considérer ses excuses comme un affront.

— Vous ai-je insultée ? demanda-t-il en la rattrapant.

Un coup de feu résonna au loin, le petit bruit sec et fort suffisamment proche pour rendre nerveuse la jument de Charlotte.

— Ho!

Elle serra les rênes et tapota l'encolure de Flame.

— Ce sont sans doute ces braconniers à propos desquels le valet nous a avertis.

La tension enflammait les muscles de ses bras et de ses jambes alors qu'il balayait des yeux l'horizon des bois.

— Retournons-nous-en.

Elle opina de la tête tout en caressant l'encolure de la jument alors qu'ils avançaient au trot. Après quelques minutes, lorsqu'ils se furent rapprochés du manoir, Cam regarda Charlotte.

— Vous avez négligé de répondre à ma question. Mes excuses vous ont-elles insultée?

— Non, dit-elle en secouant la tête. Bien sûr que non.

— Alors, pourquoi ce regard que vous m'avez lancé?

— C'est sans importance.

— Dites-le-moi, s'il vous plaît.

— Je ne comprends tout simplement pas les hommes comme vous. Vous ressentez plus de remords à propos d'un simple baiser qui ne fait de mal à personne qu'à propos du fait de mettre autant de gens au chômage.

Ses paroles furent avalées par un sinistre craquement qui se réverbéra dans l'air. Un autre coup de feu. Celui-ci était si près que Flame se détourna, apeurée. Elle recula, et ce mouvement prit Charlotte par surprise. Celle-ci glissa à la renverse, et l'arrière de sa tête heurta le sol. Flame tourna autour d'elle puis détala en vitesse.

— Charlotte!

Le cœur battant, il bondit de son cheval et courut vers elle. Elle était étendue immobile, les yeux clos, le visage pâle et fixe. Il se pencha pour prendre le haut de son corps dans ses bras, chaviré par l'inquiétude.

— Miss Livingston. Charlotte, m'entendez-vous ? Vous allez bien ?

Ses yeux d'un bleu translucide s'ouvrirent en clignotant et lui lancèrent un regard vide.

— Charlotte, m'entendez-vous ? Charlotte ?

— Vous m'avez appelée Charlotte. Je ne vous en ai pas donné la permission.

Il laissa échapper le souffle qu'il avait retenu à son insu.

— Oui, j'espère ne pas vous avoir offensée. Croyez-vous pouvoir vous asseoir ?

Il l'aida à se redresser, et son inquiétude monta lorsqu'elle parut hésiter.

— Doucement.

Il prit Charlotte dans son bras pour la stabiliser et lui plia le genou, s'arc-boutant derrière elle pour la soutenir. Elle s'appuya contre son genou à lui et se frotta la tête avec ses mains. Caressant ses cheveux de sa main libre, Cam sentit une tendresse inattendue.

— Voyons, reposez-vous un moment jusqu'à ce que vous puissiez vous orienter à nouveau.

Elle poussa un murmure de contentement alors que tout son corps se calait contre son torse à lui, tout en chaleur et en souplesse, et son doux parfum à elle l'étreignit. Cam se tendit en la sentant subitement provocante. Sa queue se dressa aussi et remua, intéressée. Mécontent de lui-même, il bougea pour diminuer le contact physique entre eux.

Ouvrant les yeux, elle sourit faiblement.

— Ne vous en faites pas, je n'abuserai pas de vous.

Ah! Mais était-elle protégée de lui? Il laissa ses lèvres frôler ses cheveux lisses et soyeux qui sentaient la lavande. Il se demanda quelle longueur ils avaient. Atteignaient-ils le creux de ses reins? S'il les dégageait à présent, ses mèches luisantes frôleraient-elles la douce courbe de ses hanches?

Au loin, des cris le détournèrent de ces pensées fantasques. Un homme à cheval fonçait dans leur direction, les sabots de sa monture écrasant l'herbe. Alors qu'il se rapprochait, Cam reconnut le valet de l'étable qui chevauchait le cheval errant de Charlotte. S'approchant d'eux, l'homme descendit d'un bond avant que son animal ait eu le temps de s'arrêter complètement.

— Char... miss Livingston, êtes-vous blessée?

L'inquiétude battait dans ses paroles urgentes, et ses yeux étaient écarquillés par l'anxiété.

— Oui, oui, s'il te plaît, ne t'inquiète pas sur mon compte.

Elle parvint à sourire, même si cela ressemblait davantage à une grimace, et s'efforça de se dégager de Cam.

— J'ai fait une chute.

Le valet parcourut des yeux son corps de la tête aux pieds. Cam voulut le gifler pour son impudence. Le garçon d'étable parut ne pas le remarquer, tant il était concentré sur Charlotte.

— Êtes-vous certaine de n'avoir subi aucune fracture?

Le valet tendit le bras vers Charlotte, mais s'arrêta avant de la toucher.

— Quand votre monture est revenue aux étables sans vous, j'ai craint le pire.

— Oh, Nathan, je suis désolée de t'avoir affolé.

Oh, Nathan ? Cam examina le valet, contemplant sa silhouette longue et maigre, ses cheveux bruns et son maintien tranquille et déterminé.

— Allons, voyons si vous pouvez vous relever, dit Cam en voulant prendre la situation en main.

S'accrochant au bras de Charlotte, il l'aida à se redresser. Nathan bondit sur ses pieds et s'approcha d'elle.

Cam l'arrêta d'un regard territorial et d'un ton piquant et abrupt.

— Ce sera tout, Nathan, n'est-ce pas ?

Nathan recula, inclinant la tête en signe d'acquiescement, mais pas avant que Cam voit la colère étinceler dans les yeux bleu pâle de l'homme.

Charlotte se leva d'une façon quelque peu mal assurée.

— J'ai été un peu sonnée, mais rien ne paraît cassé.

Elle fit de nouveau à Nathan ce sourire grimaçant qui se voulait rassurant, mais qui eut plutôt l'effet contraire.

Cam sourcilla devant ses mouvements vifs.

— Je crois que vous devriez peut-être rentrer au manoir avec moi, sur mon étalon.

— Monsieur le marquis, dit soudain le valet, miss Livingston peut revenir sur sa monture. Je vais marcher.

— Miss Livingston n'est pas en état de chevaucher seule. Elle est encore plutôt mal assurée. Je vais l'accompagner.

Il guida Charlotte jusqu'à son cheval.

— Tu peux t'en aller. Prends sa monture.

Grimpant sur la selle, Cam ignora le valet qui partait. Une fois assis, il prit la main de Charlotte tandis qu'elle posait son pied sur sa botte afin qu'il puisse la hisser. Installant Charlotte de côté devant lui, il entoura de ses bras sa taille délicate afin de la stabiliser et fit avancer l'étalon à un rythme lent. Il s'efforçait de rester concentré sur le sentier, et non sur la douceur féminine et parfumée qui s'appuyait contre son torse, son ventre… et d'autres régions de son corps qu'il n'avait pas à considérer pour l'instant.

— Juste un peu plus loin, ma chère, dit-il.

Même s'il ne voyait pas son visage, il sentit aussitôt que Charlotte perdit conscience. La panique le saisit lorsque le corps de la femme devint mou et sans vie, au moment même où se profilait le manoir Fairview. Une partie de cette tension se libéra lorsqu'il aperçut Harwell devant les étables avec plusieurs invités, qui se préparaient à guider un groupe d'équitation.

— J'ai besoin de votre aide ! cria-t-il.

Le duc s'avança, et l'alarme empreignit son visage mat lorsqu'il aperçut la silhouette immobile de Charlotte.

— Diable, qu'est-il arrivé ?

— Elle a fait une chute. Aidez-moi à la descendre. Lentement.

Cam se dégagea doucement du cheval avec Charlotte encore dans ses bras. Hartwell stabilisa de la main jusqu'à ce que Cam touche le sol. Maintenant son corps long et svelte dans son étreinte, Cam rejoignit la maison à grands pas. Chacun des muscles de son corps était tendu, et son cœur tambourinait dans ses oreilles. Un murmure circula entre les invités rassemblés, qui regardaient avec une curiosité non dissimulée Charlotte dans les bras du marquis.

Hartwell se tourna vers le valet le plus proche.

— Va quérir le médecin au village.

Arrivé au manoir, Cam regarda en arrière, à temps pour voir monter Nathan, presque avant que Hartwell ait donné l'ordre. Soulevant d'un pied un nuage de poussière, le valet fit avancer la jument, et le bruit lourd et sourd des sabots au galop s'évanouit rapidement au loin.

Chapitre 3

— Vous avez subi une commotion cérébrale, dit à Charlotte le docteur Guelph.

Elle était étendue au lit, combattant une autre vague de nausées, un bras tendu sur ses yeux afin de faire obstacle à la lumière qui leur faisait mal.

— Est-ce grave? demanda son frère Hugh.

— Miss Livingston se portera comme un charme, pourvu qu'elle suive mes ordres.

Le médecin se tourna alors vers Charlotte.

— Vous devez rester au lit pendant deux semaines. Reposez-vous et dormez autant que possible pour permettre à votre cerveau de se rétablir du traumatisme qu'il a subi.

— Deux semaines? murmura-t-elle en essayant de calmer le fracas métallique qui résonnait dans sa tête. Cela paraît interminable. Et la partie de campagne se termine bien avant.

Puis elle grogna :

— Quel est ce fracas? Qui fait sonner cette cloche infernale?

— Le bourdonnement dans vos oreilles est plutôt normal et se dégagera avec le temps, lui assura le Docteur Guelph.

Après avoir donné à sa servante quelques autres instructions concernant ses soins, le médecin annonça qu'il reviendrait dans une semaine pour jeter un coup d'œil sur la patiente. Willa et Hugh raccompagnèrent le docteur jusqu'à la porte, laissant Charlotte seule dans la chambre obscure.

Sa tête battait la chamade comme si une centaine de personnes se livraient à une émeute à l'intérieur, mais penser à Camryn l'aidait à se distraire de la douleur. Son ventre la tiraillait à la pensée de ces yeux vert doré qui se fronçaient par souci pour elle. Elle sentait même encore son parfum, ce mélange purement masculin de musc, de cuir et de sueur. En posant sa tête contre lui, elle avait entendu vociférer le cœur du marquis sous sa poitrine. Malgré sa confusion, elle avait perçu l'étreinte de Camryn et la sensation de son corps tendu contre elle.

Elle se tortilla dans le lit en tentant de soulager son inconfort. Sous l'effet du laudanum, ses pensées devinrent un fouillis déroutant. Le médicament l'apaisa et la plongea dans un sommeil agité où des impressions de Camryn flottèrent aux limites de sa conscience jusqu'à ce que finalement, tout vire au noir.

• • •

Impatient d'avoir des nouvelles de l'état de Charlotte, Cam faisait les cent pas dans l'une des salles de réception publiques. Ses frères Sebastian et Basil levèrent les yeux de leur partie d'échecs.

— Il est difficile de se concentrer lorsque tu bouges ainsi, se plaignit Basil. Est-ce qu'un bon bordeaux te ferait du bien?

À 22 ans, le frère cadet de Cam était un homme facétieux qui avait du succès auprès des ladys. Il avait la minceur et la blondeur de son frère aîné, mais des trois frères, c'était celui dont la beauté était la plus classique. Cam avait souvent entendu des ladys pérorer sur les grands yeux bleus de son frère, la forme parfaite de son nez et sa mâchoire bien sculptée.

— Miss Livingston est tombée de sa monture, marmonna Cam. J'attends des nouvelles de sa condition.

— Miss Livingston?

Incertain, Basil releva soudain un côté de sa bouche.

— Oh, la sœur de Shellborne, dit-il avec un manque d'intérêt évident.

Sebastian déplaça sa reine.

— Échec au roi!

— Bordel!

Basil ramena son attention à l'échiquier, cherchant une façon d'épargner son roi de l'avance prédatrice de son frère.

— Était-ce une chute grave? demanda Sebastian.

— Je ne puis le dire. Elle a heurté sa tête alors que nous étions partis en promenade ce matin.

— Alors que vous étiez en promenade?

Sebastian disposa ses doigts en pointe sous son menton. Avec sa beauté basanée, il contrastait fortement avec ses frères au teint solaire, et sa puissante carrure était différente de leurs silhouettes minces et légères.

— Seuls.

— Ça suffit, répondit abruptement Cam en réagissant à la critique sous-entendue dans la question de son frère. Nous

nous sommes rencontrés plutôt par hasard et avons décidé de nous promener ensemble.

Basil tapotait son cavalier tout en scrutant l'échiquier.

— Et puis, miss Livingston n'est-elle pas empressée de se caser ? demanda-t-il sans lever les yeux. Elle est un peu en limite d'âge pour que tu t'en fasses avec de telles convenances.

Cam réprima un besoin immédiat de défendre l'attrait féminin de Charlotte.

— Toute discussion sur l'âge de miss Livingston est hautement inappropriée.

— Hautement inappropriée, répéta Sebastian, tout comme faire de l'équitation sans valet.

Basil ricana et avança son cavalier.

— Voilà, je t'ai arrêté.

Il se retourna sur sa chaise pour regarder Cam.

— Tu es allé en promenade seul avec une lady. Bien sûr, saint Sebastian n'approuve pas. Il ne peut faire aucun mal.

Sebastian baissa à nouveau les yeux sur l'échiquier, un sourire victorieux aux lèvres.

— Certainement pas aujourd'hui. Échec et mat, dit-il en déplaçant sa reine pour assener le coup de grâce.

— Enfer et damnation, il n'y a pas moyen de te battre, dit Basil d'un ton jovial.

Willa apparut au seuil.

— Charlotte a subi une commotion au cerveau, annonça-t-elle. Le médecin dit qu'elle doit rester au lit pendant deux semaines.

Le soulagement dégagea les muscles de Cam.

— Ira-t-elle bien, alors ?

— Oui, pourvu qu'elle se repose et dorme, dit Willa en se dirigeant vers lui. Elle restera ici sous la protection de Hartwell jusqu'à ce qu'elle soit rétablie.

— Je suppose que je ne peux pas la voir.

— Pourquoi le voudrais-tu ? demanda Basil.

Ne tenant pas compte de la question, Willa donna à Cam un tapotement de réprimande sur le bras.

— Charlotte est confinée à la chambre de malade. Elle ne peut certainement pas accepter de visites de gentlemen.

— Je ne suis certainement pas un gentleman en visite.

— Qu'est-ce que vous faisiez, vous deux, à vous promener ensemble ? demanda-t-elle.

— J'ai trouvé miss Livingston alors qu'elle se faisait préparer une monture. Puisqu'il y a des contrebandiers à l'œuvre, j'ai offert de l'accompagner. Il n'y avait là rien d'inapproprié ni de fâcheux.

— Je n'ai pas dit cela, mon cousin, dit-elle en examinant son visage. J'étais tout simplement curieuse.

— Mon frère semble avoir oublié d'amener un valet avec eux, dit Sebastian en tendant le bras vers le journal posé sur une table d'appoint. Que tu en aies eu ou non l'intention, tu as contribué à faire de miss Livingston l'objet de déplaisants bavardages.

Willa regarda avec tendresse son cousin aux cheveux foncés.

— Oh, Sebastian, je crains qu'aucun de tes frères ne puisse être à la hauteur de tes normes impeccables.

Cam grogna.

— Oui, grâce au Ciel, nous avons la boussole morale qu'est Sebastian Stanhope pour nous assurer que nous ne nous détournons pas du droit chemin.

— Ce n'est que lorsque je me compare à mes frères indisciplinés que je parais vertueux. Je vous assure, je ne suis qu'un gentleman ordinaire.

Sebastian regarda son frère avec des yeux verts et froids.

— Par exemple, une personne qui n'oubliera jamais que miss Livingston est une lady qui devrait être traitée d'une façon fort honorable.

— Je suis allé en promenade avec cette lady, lança Cam avec une mine renfrognée. Je ne l'ai pas enlevée.

Ricanant, Basil vida son verre.

— Et puis, s'il venait à Cam l'idée d'enlever quelqu'un, je doute que ce soit miss Livingston.

— Il me vient à l'esprit de me ruer sur toi.

Grinçant des dents, Cam résista à l'envie de rouer de coups son frère cadet.

— Nous parlons d'une lady. Je vais te rappeler de conserver un langage poli.

Sebastian grimaça.

— C'est maintenant que tu te soucies de protéger la réputation de miss Livingston?

— Qu'en sais-tu? Je ne crois pas t'avoir déjà vu effleurer une lady du regard.

Même si l'expression insondable de Sebastian ne changeait pas, Cam regretta ces paroles dès qu'il les prononça. Tous ceux qui étaient présents savaient précisément pourquoi son frère ne démontrait aucun intérêt manifeste envers les femmes.

— C'est trop, dit Willa en lui lançant un regard sévère. Qu'est-ce qui te prend, grands dieux?

Basil hocha la tête.

— Tu te conduis d'une façon fort inhabituelle.

— Peut-être les intentions de mon frère envers miss Livingston ne sont-elles pas aussi honorables qu'elles devraient l'être, dit Sebastian, dont seules les boucles foncées apparaissaient derrière son journal.

Une incrédulité manifeste apparut sur le visage de Basil.

— Sûrement pas.

— Je ne crois pas que Cam ait d'intentions envers elle, qu'elles soient honorables ou non, dit Willa. Il semble trouver Charlotte plutôt inintéressante.

— Au contraire, dit Sebastian dont le regard aux cils foncés remonta vers elle au-dessus du journal. Ses gestes suggèrent que mon frère trouve miss Livingston beaucoup plus intrigante que ce qu'il veut bien admettre.

Une étrange émotion tiraila les entrailles de Cam.

— Ça suffit, grogna-t-il, le visage brûlant alors qu'il sortait de la pièce.

• • •

Les journées restantes de la partie de campagne se déroulèrent dans une brume somnolente pour Charlotte, qui passait la plus grande partie de ce temps à se reposer et parfois à rêver à un certain gentleman aux cheveux ambre et à la culotte serrée. Graduellement, sa confusion se dégagea, et le seul bourdonnement qu'elle entendait venait des cloches de l'église du village voisin.

Le dernier soir de la partie de campagne, le duc et la duchesse de Hartwell offrirent à leurs invités un dîner d'au revoir ainsi qu'une danse. Encore confinée à la chambre de malade, Charlotte n'y assista pas, même si ses maux de tête avaient diminué et qu'elle devenait chaque jour plus impatiente. Penser aux activités animées dont elle était exclue accentuait son ennui.

Comme la musique lui parvenait du bas des escaliers, elle s'installa dans un fauteuil avec un livre, mais c'était sans espoir, car elle ne pouvait se concentrer. Distraite, elle songeait à Camryn.

Elle repensait sans cesse à ce baiser, à la ferme pression de ses lèvres contre les siennes. Même maintenant, le seul fait de rejouer cela mentalement faisait pleuvoir des étincelles de plaisir dans son échine.

Même si elle avait toujours gardé une certaine réserve, Charlotte avait ressenti une forte attirance envers le marquis dès qu'elle avait posé les yeux sur lui, des mois auparavant, en ville. Mais elle ne s'était pas attendue à prendre plaisir à la compagnie de Camryn, et c'était ce qui s'était passé, même lorsqu'ils se défiaient en paroles. Et il avait fait montre d'une telle tendresse après qu'elle avait été jetée en bas de sa monture ! Elle se sentait en sécurité dans ses bras et entourée de l'intense bienveillance qu'il lui démontrait.

Elle était agacée par l'idée même qu'elle soit vraiment attirée par cet homme en entier, et non seulement par ses évidents attributs physiques. Le marquis de Camryn était un libertin et un industriel. Il exploitait des gens. Camryn représentait tout ce qu'elle dédaignait chez un homme. Soupirant, elle se redressa sur pied et marcha vers la porte pour l'entrouvrir. Appuyant son front contre le bois frais, elle écouta les bribes de musique et de bavardage de la dernière danse. Demain, il serait parti, et selon toute probabilité, ils ne se rencontreraient pas avant des mois. *Ce qui est tout à fait convenable*, se dit-elle en tentant de se convaincre, car Camryn voyait clairement le monde à travers des yeux différents.

Que faisait-il en ce moment précis ? Peut-être était-il debout dans le jardin, en train d'être gratifié d'un au revoir particulier par l'épouse de monsieur Fitzharding. Elle rougit à ce souvenir. Au retour d'une promenade à pied avec Nathan, d'étranges murmures et des grognements étouffés avaient attiré son attention. La nature charnelle de l'acte sur lequel elle était tombée la troublait encore. Elle n'était pourtant pas tout à fait ignorante des intimités entre un homme et une femme, mais le fait de voir madame Fitzharding accomplir un acte aussi impensable avec Camryn la stupéfiait.

Cela avait également fait d'étranges choses à son corps. Au début, ce mécanisme l'avait subjuguée. Le clair de lune avait jeté une lueur sur les mouvements d'aller-retour de la lady, soulignant les gestes étonnamment experts de sa bouche et de sa langue, ainsi que l'expression entendue et satisfaite sur son visage lorsque le marquis ondulait contre elle.

Puis il y avait eu l'attitude royale avec laquelle Camryn s'était appuyé debout contre l'arbre, la noble majesté avec laquelle il acceptait le plaisir qu'elle offrait, comme si c'était son droit. Même alors, il paraissait arrogant et gracieux, sa main impérieuse posée sur la tête de la femme qui le faisait jouir, ses yeux verts réfléchissant le clair de lune, qui leur donnait un éclat surnaturel.

Elle n'avait jamais vu encore les parties intimes d'un homme adulte. Camryn avait été vêtu, mais sa culotte ouverte permettait à son prodigieux appendice masculin de saillir d'un fourré de frisottis de couleur fauve. Illuminé par le clair de lune, il était fier et dur, fourni et long, beaucoup plus substantiel que ce que pouvait renfermer la culotte bien ajustée d'un homme — ou tout orifice féminin — dans son imagination.

Lorsque Camryn avait fermé les yeux et frémi, son propre cœur avait chaviré, et la chaleur avait enflé dans tout son corps. Par la suite, elle avait été abasourdie en voyant sa satisfaction blasée et sa terne politesse. Le manque d'intimité entre deux personnes qui viennent de se livrer à un acte profondément sensuel l'avait déroutée. Elle s'en trouvait encore perplexe.

Au départ de l'amante, elle avait été indéniablement fascinée, incapable de détacher ses yeux du sublime animal qui s'arrangeait pour recréer habilement l'illusion de courtoise civilité qu'il avait l'habitude de montrer au monde. Cela ne lui servait à rien. L'image de Camryn se pomponnant paresseusement contre l'arbre et étalant sa vérité avec une assurance négligente était gravée dans son esprit.

Le souvenir eut un effet brûlant sur elle alors qu'elle était appuyée contre la porte ouverte et écoutait les accents musicaux. Ses joues étaient chaudes et le bas de son ventre tressautait d'anticipation. Elle grogna. Comment donc pouvait-elle réagir ainsi à Camryn? La Charlotte Livingston intelligente et raisonnable soupirait pour un homme sans grand respect pour les femmes et encore moins pour l'homme ordinaire! Elle poussa un profond soupir et secoua les épaules, déterminée à l'écarter de ses pensées.

— Miss Livingston?

Sursautant, Charlotte épia de part et d'autre de la porte ouverte et trouva en chair et en os l'objet de ses rêveries, debout près de sa chambre.

— Oh, lord Camryn! dit-elle, la chaleur lui remontant aux joues.

— Je suis désolé de faire intrusion.

Il était habillé de sa tenue de dîner : sa redingote marine en tissu extrafin et, en dessous, un gilet foncé à motif cachemire moulaient les contours propres et fermes de son corps. Une culotte gris pâle adhérait comme une amante folle aux courbes bien définies de ses cuisses fortes. Tout en gênant ses mouvements, l'élégance formelle de ce vêtement mettait en valeur la qualité indomptée et truculente qui irradiait du marquis.

Tirant légèrement sa cravate blanche comme neige, il dit :

— Je… Eh bien, euh… je vais prendre congé demain, et je souhaitais m'assurer personnellement que vous étiez en rétablissement.

— Je vais plutôt bien, merci.

Elle tenta de ne pas tenir compte du frisson qui la parcourut.

— Si l'on oublie l'interminable ennui qui vient du fait d'être confinée à la chambre de malade. Mais c'est tout.

Camryn lui fit un sourire radieux qui exposa toutes ses dents et qui fit palpiter son cœur.

— Je suis si soulagé de l'entendre.

Il devint silencieux, et elle ne trouva rien à dire. Tout ce qu'elle savait, c'était qu'elle ne voulait pas qu'il s'en aille. Il se retourna pour partir.

— Très bien, alors.

— J'aimerais bien faire une promenade dans le jardin.

Les mots tombèrent précipitamment pour retarder son départ.

— Auriez-vous l'amabilité de m'accompagner ?

— Bien sûr.

Son visage s'éclaira.

— Tout le plaisir serait pour moi. Je vais vous attendre au bout du corridor.

Pivotant sur elle-même, Charlotte prit son châle et courut vérifier son reflet dans la glace. Elle se pinça les joues avant de saisir un bonnet et de s'élancer vers la porte. S'arrêtant, elle s'obligea à sortir de la chambre d'une manière gracieuse, tentant de glisser comme une lady vers Camryn au lieu de galoper dans le couloir comme un pur-sang à Newmarket. Arrivée au marquis, elle prit le bras qu'il tendait.

— Merci d'avoir pitié d'une invalide.

— Êtes-vous certaine qu'il soit sage de vous déplacer ? Willa a dit que le médecin avait ordonné un repos complet au lit.

— Une marche sereine dans le jardin ne va pas m'abîmer le cerveau.

Elle accéléra le pas, le pressant d'avancer avant qu'il change d'idée.

— Et l'air frais et revigorant hâtera sans aucun doute mon rétablissement.

— Comme vous voudrez.

Les froncements inquiets s'effacèrent sur son front. Les deux marchèrent en silence, se frayant un chemin à travers la maison caverneuse pour aller dans le jardin. L'air frais du soir et l'odeur piquante des fleurs écloses les accueillirent dès qu'ils mirent les pieds dehors.

— Ces jardins sont si étendus ! dit-elle en inspirant l'air vif.

— Hart dit qu'il y a sept acres de jardin. On pourrait s'y perdre.

— Alors, j'ai de la chance de vous avoir pour guide. Les sentiers vous sont-ils très familiers ?

Elle eut les joues brûlantes dès qu'elle posa la question, se rappelant soudainement la dernière fois qu'elle l'avait vu dans le jardin.

Il ne parut pas le remarquer.

— Mes frères et moi sommes souvent venus rendre visite à Willa, depuis qu'elle s'est mariée. Comme Hart et moi étions de vieux amis à Cambridge, les visites sont assez aimables.

Ils restèrent en silence pendant juste un moment, flânant à un rythme tranquille.

— Combien de frères avez-vous?

— Trop : c'est ce que je me dis parfois, dit-il avec un rire léger. Quatre. Je suis l'aîné des cinq.

Elle se rappela en avoir rencontré deux avant sa chute.

— Willa a mentionné qu'elle avait un cousin à la guerre. On m'a dit qu'il sert avec grande distinction.

— C'est Edward.

Les yeux de Camryn semblèrent s'obscurcir, même au clair de lune.

— Vous étiez contre son choix d'aller combattre?

— Ses raisons de le faire m'inquiètent. Edward est tombé amoureux de la fille d'un comte. Comme mon frère était un deuxième fils sans grandes perspectives d'avenir, le père de la fille a rejeté son offre. Peu après, Edward est allé se joindre à l'armée.

Il regarda fixement dans l'obscurité.

— Mon frère a combattu avec une grande bravoure et est un brillant stratège. Il a même été fait chevalier pour ses services. Il s'appelle maintenant sir Edward Stanhope.

— Vous devez être terriblement fier.

— En effet, je le suis. Énormément, oui. Seulement, cela ne lui ressemble absolument pas. Edward est un musicien talentueux, un artiste. Je n'aurais jamais deviné qu'il excellerait dans les efforts militaires.

Charlotte répondit par un éternuement. *Il doit y avoir quelque chose dans ce jardin*, se dit-elle en éternuant de nouveau.

Camryn se figea à côté d'elle. Sentant le changement de son comportement, elle le regarda intensément, remplie de crainte. Il avait le visage rouge et tendu, et son regard bouleversé disait qu'il venait de comprendre. Elle se tendit lorsque ce visage léonin et durci la regarda fixement, les pupilles arrondies réfléchissant le clair de lune comme elles l'avaient fait cette nuit-là.

— C'était vous, dit-il.

Chapitre 4

Cam était si abasourdi qu'il ressentait un battement dans sa tête. C'était impossible. Il scruta le visage de Charlotte, et même dans le jardin éclairé de torches, il discernait ses joues empreintes d'une teinte cramoisie foncée. L'air vif du jardin parut soudainement épais et oppressif. Finalement, elle leva les yeux et affronta son regard.

— Oui.

Il sentit un tressaillement dans sa poitrine. Des émotions enchevêtrées culbutaient en lui alors qu'il comprenait pleinement que Charlotte avait été témoin de l'acte grossier. Il avait honte du fait qu'elle l'ait vu y participer. Mais il admirait la façon dont elle lui avait répondu. Non pas d'une façon bouillante de mécontentement, ridicule ou timide, mais avec une choquante honnêteté.

— Je vois.

Il se détourna d'elle, le visage et le torse brûlants de mortification.

— Êtes-vous toujours aussi sincère ?

Elle reprit sa marche.

— J'en ai bien peur. Faites attention à ce que vous me demandez. Vous pourriez entendre quelque chose d'indésirable.

Il l'avait déjà entendu.

— Merci de votre sincérité.

Cam se mit au même pas qu'elle, encore palpitant d'incrédulité.

Aucune lady de bonne famille n'aurait dû être soumise à une telle vulgarité. Mais plus encore, il était troublé du fait que l'épisode l'avait sans doute fait couler encore davantage dans son estime. À présent, elle le considérait probablement comme un tyran à la fois insensible, dégénéré et dépravé.

— Je m'excuse pour l'offense à votre susceptibilité.

Les muscles de son visage étaient si tendus par l'effort qu'il les crut sur le point de rompre.

— Je suis plus que chagriné en apprenant qu'une lady de bonne naissance ait dû être témoin d'un étalage aussi dégoûtant. Je suis étonné que vous daigniez être en ma compagnie.

— Je n'ai pas trouvé cela dégoûtant.

Les yeux de Charlotte s'écarquillèrent soudain. Sa main se plaqua subitement sur sa bouche comme si les paroles s'étaient échappées d'elles-mêmes.

— Je vous demande pardon ?

— Je n'ai pas trouvé cela dégoûtant, murmura-t-elle en se découvrant un soudain intérêt envers ses mules de soie.

— Je vois.

En réalité, il ne voyait pas. Pas du tout. Cam cherchait ses mots. Cette franche conversation était fort inappropriée, mais il se sentait contraint d'en savoir davantage.

— Que voulez-vous dire ?

D'une secousse, elle redressa la tête.

— Pardon?

Sa question semblait la troubler autant que lui. Alors, elle n'était pas aussi imperturbable qu'elle le lui avait fait croire. Il s'arrêta et l'obligea à en faire autant.

— Je sais que c'est inadmissible. Mais il y a quelque chose en vous, miss Livingston, qui m'oblige à me passer des convenances et à parler plutôt simplement.

Son regard la retint.

— Vous avez dit que vous ne mentiez jamais.

L'admiration l'envahit lorsqu'elle se tourna vers lui, calme, sans peur et laissant son regard franc se stabiliser avec le sien.

— Vous ne devriez pas me demander une telle chose.

— Vous auriez tout à fait le droit de me gifler pour mon impudence.

Son cœur battit dans sa tête.

— Cependant, je m'aperçois que c'est plus fort que moi.

Elle soutint son regard à mesure que la tension montante resserrait l'air entre eux deux.

— Je préfère ne pas le dire.

Elle finit par trouver les mots.

— En tant que gentleman, vous devriez accepter ma réponse.

Il la regarda un moment, puis sourit avec une résignation réticente, laissant se dégager la pression du moment.

— Quand vous l'énoncez ainsi, vous ne me laissez pas le choix. J'espère seulement que le malheureux incident ne m'a pas trop fait baisser dans votre estime.

Elle resta en silence et continua de marcher droit devant, signalant clairement son désir de mettre fin à la conversation.

Il n'y avait rien à faire. Muet, il la suivit, se demandant comment il avait réussi à gâcher si complètement les choses avec la première femme à soulever son intérêt depuis si longtemps.

• • •

— Charlotte! Tu as l'air magnifique, dit Willa en embrassant son amie. Je suis tellement contente que tu sois enfin revenue en ville. Ces deux dernières semaines sans toi ont été d'un ennui mortel.

Tendant son châle au valet de pied en attente, Charlotte répondit à l'étreinte de Willa, son humeur ragaillardie par les échos des bavardages qui flottaient dans le corridor, émanant du salon de la Hartwell House.

— C'est si bon d'être de nouveau à Londres. Je suis venue dès que Maman m'a permis de m'évader.

Charlotte n'avait pas vu Willa depuis qu'elle avait quitté le manoir Fairview pour récupérer chez elle dans le Leicestershire sous l'œil attentif de sa mère.

— Je crains de penser que la saison se termine et que je retournerai à la campagne.

— Peut-être te permettra-t-elle de passer l'été à Fairview.

Le sourire doux et rêveur de Willa avait un côté acéré et cachottier.

— Même si je ne peux pas te promettre le cénacle habituel d'intéressants invités.

Elle contempla sa magnifique amie.

— Tu parais adorable, comme d'habitude. On pourrait même dire que tu es resplendissante.

Son regard descendit jusqu'à la taille de son amie.

— Willa, es-tu…?

— Nous ne l'annonçons pas encore, mais oui, je prends du volume.

Les énormes yeux d'un brun velouté de la duchesse luisaient de bonheur.

— Hartwell est ravi. Nous le sommes tous les deux.

— Comme c'est merveilleux, Willa !

— Je vais entrer en couches à la fin de la saison. S'il te plaît, dis que tu envisageras de passer mon accouchement avec moi à Fairview.

Elle prit Charlotte par le bras avant d'ajouter :

— Je ne te demanderai pas une réponse immédiate. Viens, les invités sont déjà rassemblés.

Elles entrèrent dans le grand salon où les invités étaient rassemblés. Un éclair de déception parcourut Charlotte lorsqu'elle ne vit aucun signe du cousin de Willa. Elle n'avait pas vu Camryn depuis leur promenade au jardin, presque trois semaines plus tôt. Écartant le sentiment, elle tenta de se rappeler que la présence du marquis ne la regardait pas. Elle s'obligea à l'imaginer à l'une de ses usines miteuses, en train d'imposer ses impossibles exigences aux travailleurs opprimés.

Le duc de Hartwell s'approcha, et Charlotte sentit un tiraillement dans la région de son cœur en voyant le regard affectueux que les deux échangèrent avant que les traits marqués du duc se concentrent sur elle.

— Miss Livingston. C'est avec un grand plaisir que je vous vois pleinement rétablie.

— Oui, monsieur le duc, c'est vrai. Merci.

Elle ne se sentait jamais à l'aise avec le sombre et énigmatique mari de Willa. En plus d'être un homme d'une taille imposante, il portait invariablement du noir, à l'exception du blanc vif de sa cravate. Elle se demandait pourquoi il avait tout de même ses cheveux longs en catogan. C'était plutôt démodé, et cela accentuait la sévérité de ses traits.

Après avoir échangé quelques politesses, elle circula dans la salle, se lançant bientôt dans une conversation avec Jonathan Marin, un riche homme d'affaires, et Robert Gibbon, qui partageait l'intérêt de Charlotte pour la réforme sociale.

— Miss Livingston, avez-vous entendu l'affreuse nouvelle de Crosland Moor ? demanda Gibbon.

— J'ai bien peur que non, dit Charlotte. Je suis restée chez moi dans le Leicestershire, plutôt loin des nouvelles.

Martin, l'homme d'affaires, secoua la tête.

— C'est fort désagréable, mais ce n'est pas inattendu. Il semble que les luddites aient encore frappé.

— Seulement, cette fois-ci, ils n'y sont pas allés de main morte, intervint une voix vive et résonante qui fit bondir le cœur de Charlotte. Ils ont tendu une embuscade et assassiné un propriétaire d'usine à Marsden.

En se retournant, elle vit le marquis de Camryn s'approcher d'eux, sa présence dorée aussi radieuse que les chandelles qui éclairaient la pièce. Des vêtements de soirée ajustés, de couleur foncée, mettaient en valeur sa silhouette svelte et légèrement musclée. Elle sentit son ventre se serrer en voyant ses cuisses sculptées fléchir et glisser sous sa culotte bien ajustée.

— Ah, Camryn ! Venez vous joindre à nous, dit Gibbon. Nous avons besoin de votre noble point de vue.

— En tant que cousin d'un comte, vous ne faites pas précisément partie de la classe ouvrière, dit-il d'un ton empreint d'ironie.

— Hélas, le sang bleu ne suffit pas à nourrir son homme.

Camryn grogna avant de poser un regard ambré et hypnotique sur Charlotte.

— Miss Livingston, pardonnez mon manque de bienséances.

Il s'inclina, ses cheveux ébouriffés de couleur fauve en contraste saisissant avec sa cravate impeccablement nouée.

— J'espère que vous êtes pleinement rétablie de votre chute.

Le pouls de Charlotte bascula sous son regard perçant. Il avait une façon de regarder une femme qui la faisait se sentir comme si elle était la seule personne au monde.

— Oui, monsieur le marquis, je vous remercie de votre sollicitude.

— Alors, que dites-vous des événements de Marsden, Camryn ? demanda Gibbon.

Le marquis s'installa dans un fauteuil.

— Les coupables ne sont pas mieux que des voleurs de grand chemin qu'il faut punir rapidement et sévèrement.

— Les émeutes sont une réaction à la perte de salaires, dit Charlotte d'un ton passionné.

— Miss Livingston, vous comprenez sûrement que ces gestes sont des réactions primitives au progrès. La machinerie est là pour de bon et se développera inévitablement. La classe ouvrière doit changer avec le temps. Il n'y a pas d'autre avenue.

— C'est facile à dire pour un homme à qui l'avancée de la machinerie rapporte de façon significative, dit Gibbon d'un ton moqueur. Vos usines peuvent maintenant produire de grandes quantités à moindre coût et plus rapidement, ce qui augmente considérablement vos profits.

— Tout en produisant des articles inférieurs, marmonna Charlotte.

— Tous les travailleurs doivent apprendre une nouvelle technique.

Croisant une cheville sur le genou opposé, Camryn sirota son brandy.

— Le progrès n'est pas un parcours facile, mais il doit néanmoins être entrepris.

— Ce même progrès menace la hiérarchie même qui vous place au sommet de la société, dit Charlotte. Un jour, bientôt, de riches marchands pourraient être sur un pied d'égalité avec un noble du royaume.

La façon dont les yeux vert ambre et provocateurs de Cam semblaient continuellement la fixer réchauffa les joues de Charlotte.

— Comme je l'ai dit, Miss Livingston, personne ne peut arrêter le progrès, pas même l'aristocratie. Nous devons tous nous adapter, y compris les saboteurs de machinerie.

Hartwell apparut.

— Pardonnez-moi de vous voler Camryn pour un moment. Il y a une question urgente dont nous devons discuter avant le dîner.

Camryn se leva.

— Bien sûr, si vous voulez l'excuser.

Gibbon les regarda partir.

— Je me demande de quelles questions urgentes Camryn doit discuter avec monsieur le marquis, dit-il sans le demander à quelqu'un en particulier.

Martin se détendit dans son fauteuil.

— D'après ce que je comprends, Hartwell va se joindre à Camryn dans le commerce du textile. J'ai entendu dire qu'ils ont récemment acquis une autre manufacture de coton.

Le commerçant fit un sourire cynique.

— Je n'ai jamais cru voir le jour où les membres les plus élevés de l'aristocratie saliraient leurs gants blancs en tâtant du commerce.

— Non seulement les nobles du royaume, mais les nobles du coton, dit Gibbon. Il semble que même les membres les plus estimés de l'aristocratie soient du côté rentable du progrès.

• • •

Tout au long du dîner et par la suite, Cam fut étonné de voir toute l'attention que les hommes accordaient à Charlotte. Gibbon était assis à sa droite tandis que Martin occupait le côté gauche. Un autre gentleman inconnu de Cam était assis en face d'elle et écoutait Charlotte discuter de ses derniers écrits sur les avantages d'éduquer tous les enfants, quel que soit leur rang social.

Il ne pouvait s'expliquer son attirance à l'égard de cette femme. Depuis la partie de campagne de Willa, il avait dansé avec quelques-unes des belles filles les plus recherchées du beau monde aux quelques événements mondains auxquels il s'était efforcé de participer, principalement pour des raisons politiques. Mais ses pensées retournaient sans cesse vers Charlotte.

Des femmes incomparables, avec leurs robes de fantaisie, leur opulente joaillerie et leurs coiffures ornementées, lui semblaient soudainement tapageuses et maniérées, comparées à la simplicité naturelle de Charlotte. Leur comportement faussement timide et leur rire flirteur lui faisaient désirer un certain franc-parler de bas-bleu. Même si la lady en question avait démontré qu'elle pouvait être trop franche et se trompait d'une façon exaspérante dans ses suppositions, particulièrement à son égard.

Les hommes qui l'entouraient ce soir-là lui accordaient une attention intense lorsqu'elle parlait. Il appréciait leur intérêt. Son sang s'échauffait lorsqu'il voyait la façon dont ces yeux d'un azur translucide pétillaient d'intelligence, son corps svelte vibrant d'énergie et d'intention.

— L'Américain Thomas Jefferson a longtemps défendu l'idée d'un système d'éducation public, dit-elle aux hommes qui l'entouraient.

— Les Américains? dit d'un ton moqueur l'homme que Cam ne connaissait pas. Vous ne suggérez tout de même pas que nous suivions leur exemple. Leur société n'est certainement pas ordonnée. Il n'y a aucune aristocratie, là-bas. Vraiment, dit-il en reniflant, ce sont quasiment des sauvages.

Les lèvres charnues de Charlotte formèrent un sourire.

— Des sauvages qui pourraient bientôt avoir des citoyens mieux éduqués et plus informés que les nôtres.

Lorsque Willa lui parla, Cam remarqua qu'elle était glissée près de lui.

— Ils semblent plutôt captivés par elle.

— Apparemment.

Willa croisa les bras.

— Elle est plutôt recherchée par un certain type de gentleman, tu sais.

— Et de quel genre de gentleman peut-il bien s'agir? demanda Cam d'un ton morne qui n'invitait aucune réponse.

Mais cela ne dissuada pas sa cousine d'insister sur son propos.

— Du genre cultivé. Un gentleman qui apprécie ses activités intellectuelles.

— Tout comme j'apprécie les tiennes? demanda Hartwell, se faufilant près de sa femme et glissant son bras autour de sa taille.

Rayonnante, elle détendit son corps contre le sien.

Cam regarda le plafond.

— Vraiment, Hart, la dernière chose dont j'ai besoin, c'est de te voir peloter ma cousine en bonne société.

En réplique, le rire de Hartwell fut doux et bas.

— Oh, Cam! Tu n'en sais pas la moitié.

— Ne dis pas n'importe quoi!

Les oreilles de Willa rougirent lorsqu'elle se dégagea pour aller rejoindre un groupe de ladys assises près de la fenêtre.

La laissant partir à regret, le duc se tourna vers Cam.

— Miss Livingston force certainement l'attention, ne dirais-tu pas, Cam?

— Je suppose.

— Elle semble attirer ton intérêt.

Il ne servait à rien de le nier.

— Je ne sais pas très bien pourquoi.

Il exhala par les narines, encore mystifié par l'attirance qu'il avait pour elle.

— Elle n'est pas du tout mon genre. Je baise normalement des filles un peu plus charnues, dirons-nous.

— Oui, mais ce qu'on recherche pour un petit pelotage est bien différent de ce qu'on désire chez une compagne de vie.

Une compagne de vie?

— Pourquoi présumes-tu que je cherche une femme ?

— Oh, tu n'as pas à chercher, dit le duc d'un ton suave. Quand le moment viendra, le destin s'arrangera pour te trouver quand même.

Le regard de Cam parcourut la silhouette élancée de Charlotte.

— Et ce destin modifie-t-il également les goûts qu'on a pour les femmes ?

— Qui peut le dire ? Un homme ne sait peut-être pas ce qu'est son genre jusqu'à ce qu'il rencontre la femme qui lui convient.

— Intéressante théorie.

— Jusqu'ici, tu as frayé à dessein avec certaines femmes qui ne servaient qu'à combler tes besoins physiques.

Qui l'ennuyaient maintenant excessivement. À la différence de Charlotte, qui l'intriguait sans raison apparente.

— Veux-tu dire que j'ai maintenant besoin de plus qu'une bonne baise ?

— Une entente profonde peut être aussi séduisante qu'un rapprochement charnel, dit Hartwell en haussant les épaules comme si cela lui était égal. Peut-être séduit-elle tous tes sens, au-delà de l'aspect physique.

— Quand es-tu devenu aussi sage ?

— Vers l'époque où j'ai épousé ta cousine, dit le duc en s'éloignant pour se mêler à ses autres invités.

Cam continua d'observer Charlotte à une distance respectueuse tout en sirotant son brandy. Il avait toujours tenu pour acquis qu'un manque de prétendants expliquait sa situation de vieille fille. Dans l'atmosphère scintillante du beau monde, il avait confondu sa saine simplicité avec un manque de beauté, mais d'autres n'avaient pas commis la même erreur. Ce soir, elle étincelait et paraissait être dans son élément alors qu'elle attirait l'attention et l'intérêt. Charlotte Livingston était un diamant qui pouvait aisément être confondu pour du verre banal si on ne regardait pas avec suffisamment de soin pour en apprécier toutes les brillantes facettes.

Bientôt, l'objet de son admiration se détacha ingénieusement de son cercle d'admirateurs. Elle se mêla un peu aux invités avant de discrètement se glisser hors de la pièce. Personne d'autre ne parut le remarquer. Impatient de se retrouver seul avec elle, Cam vit venir sa chance. Il s'esquiva quelques minutes après Charlotte afin de ne pas attirer l'attention à leur absence mutuelle. Fouillant des yeux le petit jardin, il ne vit aucun signe d'elle. La seule activité semblait provenir des étables, où l'on gardait les chevaux et à l'étage desquels habitaient les domestiques. Le son de sa voix, de même que l'odeur piquante et granuleuse du foin et des chevaux, traîna à sa rencontre.

— Willa m'a demandé de passer ses couches avec elle au manoir Fairview, dit-elle. Alors, je pourrais te voir tout l'été.

Un homme répondit à voix basse par un murmure impossible à déchiffrer. Cam s'approcha discrètement, sachant déjà avec qui Charlotte parlait.

À partir de la pénombre, il regarda la scène d'un air interrogateur juste à temps pour voir Charlotte étreindre Nathan. Le valet d'écurie, encore. Un éclair de colère territorial l'envahit, laissant une sensation de vide dans son torse. Il combattit le besoin pressant de bondir sur le serviteur et de l'écharper pour avoir touché une lady avec autant de familiarité. Plus qu'une simple lady — Charlotte.

Que diable se passait-il donc ? La sœur et la fille d'un baron aurait-elle vraiment badiné avec un domestique ? Cam se retira aussi rapidement et silencieusement qu'il était venu et se glissa de nouveau dans la maison de ville pour rejoindre les autres invités. Il s'appliqua à bavarder avec un petit groupe qui comprenait Willa et Hartwell, et il fit semblant de ne pas remarquer la réapparition de Charlotte, peu de temps après.

Elle sourit et s'approcha de leur groupe.

— Willa, c'est une soirée fort adorable.

Une furie de jalousie aveugle s'empara de Cam. Il se leva sans parler et tourna le dos à Charlotte, s'apprêtant à quitter la pièce. Il l'entendit inspirer brusquement en voyant qu'on lui démontrait une attitude aussi distante.

Willa eut le souffle coupé en remarquant l'affront évident. Le bavardage se tut dans la pièce. La voix sombre de Hartwell suivit la silhouette de Cam, qui battait en retraite.

— Miss Livingston, voulez-vous bien me suivre?

Le duc de Hartwell offrit le pouvoir de son rang pour protéger la réputation de Charlotte devant des invités témoins de l'insulte délibérée de Cam.

Il ne se donna pas la peine d'attendre que le majordome indien de Hartwell aille chercher son pardessus. Après avoir murmuré quelques mots à l'homme, il descendit d'un bond les marches d'entrée au moment même où Willa apparaissait sur le seuil.

— Madame la duchesse, le marquis de Camryn a dû partir en raison d'une obligation, dit le majordome à Willa.

— Vraiment? marmonna Willa.

Elle éleva la voix de façon à être entendue dans le noir.

— Il ne va pas m'échapper aussi facilement.

• • •

— Encore du café, s'il vous plaît, grogna Cam à un valet de pied, le lendemain matin, lorsque sa cousine entra à grands pas et sans prévenir.

— Qu'est-il arrivé, pour l'amour du ciel? demanda Willa sans préambule.

Elle se glissa dans un siège à la table du petit-déjeuner, à côté de Sebastian, ce qui l'incita à lever les yeux de son journal.

— Pourquoi donc ai-je un majordome? grogna Cam sans s'adresser à quelqu'un en particulier. Si tu veux, joins-toi à nous, cousine.

— Smythe sait qu'il n'a pas à m'annoncer, dit-elle en parlant de son majordome. Pourquoi embarrasserais-tu Charlotte de cette manière?

— Je dois me rappeler de dire un mot à mon majordome.

Se laissant encore aller en arrière sur sa chaise, il ferma les yeux et pinça l'arête de son nez. L'image de Charlotte étreignant le valet d'écurie s'épanchait dans son esprit.

— J'ai bien peur de ne pas pouvoir offrir d'excuse. Bien sûr, je vais m'excuser à la première occasion auprès de miss Livingston.

— Qui sera la semaine prochaine, au bal des Fulsome-Thrusby.

Le fin regard émeraude de Sebastian passait rapidement de l'un à l'autre.

— Et pour quelle raison précise Cam s'excusera-t-il?

— Je ne le sais pas du tout moi-même, dit Willa avec une exaspération évidente. Il s'est montré désagréable à l'endroit de Charlotte, hier soir.

— Je vois.

— Tu ne vois rien, dit Cam d'un ton cassant. Et ne me regarde pas ainsi. Que fais-tu ici, de toute façon ? Pourquoi as-tu une résidence de célibataire si tu n'y es jamais ?

— Tu m'as invité. Nous avons rendez-vous pour le petit-déjeuner chaque semaine, depuis quelque temps, dit Sebastian en disparaissant derrière le journal. Je me rappelle que l'idée venait de toi.

— Tu n'as pas expliqué ton comportement, dit Willa.

— Et je n'en ai pas l'intention, non plus.

Toujours assis droit sur sa chaise, Cam serra les mains derrière sa tête.

— Qu'il suffise de dire que je vais présenter les excuses nécessaires.

Le valet de pied entra avec une tasse de chocolat fumant pour Willa. Cam attendit qu'il se retire avant de parler.

— Je vois que ton garçon d'écurie, Nathan, est ici avec toi.

Les sourcils de Willa se rapprochèrent.

— Quel est le rapport ? C'est le cocher.

— De valet d'écurie à cocher en l'espace d'un mois ? dit Cam, dont l'humeur s'assombrissait. C'est un progrès louable.

— Hart est impressionné par sa maîtrise des chevaux. Et Nathan excelle également avec les chiffres et les calculs.

L'irritation enflamma son torse.

— Est-il nouvellement à l'emploi de Hartwell ?

— Pourquoi t'intéresses-tu soudain au cocher de Hartwell ?

— Pourquoi, en effet ? répéta Sebastian de derrière son journal.

— Sans raison particulière.

Négligeant Sebastian, il donna à ses paroles un ton désinvolte.

— Je suppose que c'est parce qu'il semble se situer un cran au-dessus du domestique habituel. Son parler est presque celui d'un gentleman.

Willa tendit le bras vers un petit gâteau.

— Oh, c'est parce qu'il a été élevé par une gouvernante avec Charlotte et son frère, le baron.

Cam se pencha en avant.

— Comment est-ce arrivé ?

— Tu devrais demander à Charlotte de te parler de Nathan, si tu parviens à être poli envers elle.

Willa mastiqua son petit gâteau avec une robuste appréciation.

— Elle le connaît bien. Ils ont grandi ensemble.

— Comment donc ?

— Je crois avoir entendu dire qu'il était le fils d'un valet de pied du manoir Shellborne. Apparemment, le père de Charlotte appréciait son esprit vif et s'est pris d'affection envers lui.

Elle sirota son chocolat.

— Il a permis à Nathan de se joindre aux leçons que ses enfants recevaient de leur gouvernante.

— Intéressant, dit Sebastian derrière le journal.

— Alors, miss Livingston a reçu de son père son empathie envers les ouvriers. Comment est-il arrivé à ton emploi ?

— Nathan ? C'était à la demande de Charlotte.

Willa termina son chocolat et s'adossa.

— Oh, non. Maintenant, je me sens incroyablement pleine.

— Miss Livingston a demandé à Hartwell d'embaucher Nathan ?

— Pourquoi ? Chercherais-tu à me le voler ?

Willa le regarda d'un air soupçonneux.

— As-tu besoin d'un cocher ?

— Peut-être, dit-il en mentant.

— Oui, je suis certain que c'est ce qui motive son intérêt, dit la voix ironique de derrière le journal.

Willa se leva, et les deux hommes en firent autant.

— Je dois partir. J'ai rendez-vous chez ma couturière. Plus rien ne me va, maintenant que je grossis.

— Malgré tout, tu restes la plus belle femme de Londres, lui assura Sebastian.

— Quel menteur ! Tu es vraiment un saint.

Elle lui fit une bise avant de prendre le bras de Camryn afin qu'il puisse l'accompagner jusqu'à l'extérieur.

Alors qu'ils traversaient le vestibule et sortaient dans l'air frais, elle débita à toute allure ses dernières instructions.

— Maintenant, rappelle-toi que tu dois danser avec Charlotte chez les Fulsome-Thrusby, la semaine prochaine.

Cam souleva un sourcil.

— J'ai accepté de m'excuser, si tu te souviens bien. Cependant, je ne me rappelle pas avoir accepté de danser avec miss Livingston.

— Néanmoins, ta gaffe était considérable, dit-elle d'un ton sec qui ne souffrait d'aucune ineptie. Danser en public avec Charlotte fera taire tous les bavardages sur la gifle que tu lui as infligée hier soir. C'est le moins que tu ne puisses faire.

Chapitre 5

— Voilà, ce bleu glacier s'harmonise parfaitement au bleu de tes yeux, dit Willa à Charlotte. Tu dois cesser de t'habiller comme si tu étais en deuil.

— Vraiment, Willa, ce genre de création élégante te convient à toi. C'est trop pour moi.

S'efforçant de ne pas remuer d'impatience pendant que la servante de Willa était aux petits soins avec sa chevelure, Charlotte tira sa nouvelle robe de soirée vers le haut dans une tentative inutile de couvrir le gonflement de la naissance de ses seins.

— Cette encolure est scandaleuse. J'ai l'air d'une courtisane.

— Tu dis n'importe quoi; elle est beaucoup plus modeste que la plupart des robes de soirée, y compris les miennes, dit Willa. Tu seras parfaite au bal des Fulsome-Thrusby. Et cette coiffure est fort seyante.

— Je ne peux pas le savoir, puisque tu ne me laisses pas me regarder dans la glace.

— Sois patiente. Clara a presque fini. Je veux que tu saisisses tout l'effet.

Charlotte répondit par un air renfrogné, se demandant comment elle avait bien pu permettre à Willa de la convaincre de porter toutes ces fanfreluches. Plus tôt dans la semaine, la duchesse l'avait traînée chez la couturière et convaincue de commander plusieurs robes de soir et de jour dans des tissus aux couleurs vives et des styles flatteurs. Tout cela était fort différent de la tenue sage que Charlotte portait habituellement. Même si elle ne se souciait pas du tout du dernier cri de la mode, Charlotte avait accepté, surtout parce qu'il était beaucoup plus facile d'être d'accord avec Willa que de la contredire.

— Tu t'intéresses beaucoup à l'air que j'aurai à ce bal, dit-elle. Puis-je te demander s'il y a une raison particulière ?

— Tu caches ton charme sous ces couleurs tristes, dit Willa. Je veux te voir dans des tons plus seyants.

Clara termina ses soins et fit un signe de tête à la duchesse.

— Voilà, c'est fait, dit Willa avec un grand sourire. Maintenant, tu peux regarder.

Se retournant pour s'évaluer elle-même dans la glace du vestiaire de la duchesse, Charlotte se figea, car elle ne reconnut pas, au départ, la femme attirante qui la fixait.

De petits rangs de perles étaient entrelacés dans sa chevelure, et la robe de soirée à taille haute que Willa avait choisie chatoyait en suivant ses mouvements. Sa peau habituellement terne paraissait presque lumineuse. Qui aurait dit que la couleur d'une seule robe de soirée pouvait faire une telle différence ? Avec ses boucles librement relevées sur la tête et sa robe au style raffiné, elle paraissait presque jolie.

— Oh, mon Dieu.

— Tu es si jolie ! dit Willa en tapant des mains avec un délice d'exubérance. Quand tous ces gentlemen verront ton allure ravissante, ton carnet de bal sera rempli.

— Tu es bien trop optimiste, dit-elle en regardant son amie avec scepticisme. Si je ne te connaissais pas autant, je croirais que tu essaies de me voir mariée à un âge si tardif.

— Ne sois pas ridicule.

Évitant de la regarder dans les yeux, Willa se trémoussa dans sa robe de soirée. Elle portait une robe d'un rouge spectaculaire qui cachait ingénieusement son ventre en expansion tout en soulignant sa peau d'albâtre éclatante et ses boucles châtaines luisantes.

— Pour avoir des chances d'être remarquée, je ferais mieux de rester aussi loin de toi que possible, dit Charlotte. Tu es si incroyablement élégante que tout le monde pâlira par comparaison.

— Tu dis des balivernes ; je deviens aussi grosse qu'un carrosse !

Elle fit une pause.

— Charlotte, que s'est-il passé avec Cam, l'autre soir ?

La chaleur piqua les joues de Charlotte lorsqu'elle se rappela l'attitude distante de Camryn en public.

— Je n'en ai aucune idée. Nous n'avons parlé que brièvement avant le dîner. Je n'y ai pas réfléchi et je n'en ai pas l'intention.

Mais elle l'avait fait, bien sûr. Elle avait été terriblement blessée et déroutée par cet affront, d'autant plus pénible qu'il provenait de Camryn.

— Cela ressemble tellement peu à Cam, dit Willa. Il est habituellement tout à fait agréable. Je ne l'ai jamais vu traiter une lady d'une telle manière.

— Apparemment, j'ai réveillé son côté désagréable, dit-elle d'une manière acerbe tout en tendant la main vers son châle. Au moins, je ne risque pas de le voir ce soir.

Willa toussota.

— Pourquoi donc supposerais-tu cela ?

— Il sort rarement dans la haute société. Je ne vois aucune raison pour qu'il soit dans la foule de ce soir.

— Peut-être, dit-elle en examinant de nouveau l'apparence de Charlotte. Tu as une allure véritablement merveilleuse. Allons-y, alors, n'est-ce pas ? Hart nous attend.

Le bal des Fulsome-Thrusby, un événement annuel qui se déroulait au cours des dernières semaines de la saison, attirait traditionnellement les foules les plus huppées. Une multitude de gens remplissait la vaste salle de bal et les salons publics adjacents. D'opulents arrangements floraux ornaient de petites tables, et des centaines de chandelles chatoyaient dans tous les espaces.

Hugh émergea de la foule, sa corpulence saucissonnée dans ses vêtements de soirée ajustés.

— Te voilà, chère sœur.

Il déposa une légère bise sur sa joue avant de se tourner vers Willa et Hart.

— Madame la duchesse, monsieur le duc. Mes remerciements pour avoir permis à ma sœur de vous accompagner.

— Le plaisir est pour nous. Miss Livingston est d'une délicieuse compagnie, dit Hartwell tout en emmenant Willa. Viens, ma chère. Je crois voir Maman.

— Bravo, dit Hugh en les regardant s'en aller. Une démonstration publique de soutien ducal va sans doute élever incommensurablement le nom des Shellborne dans la haute société.

Charlotte roula des yeux.

— Oui, c'est précisément pour cela que je suis l'amie de Willa.

— Ça par exemple, tu es tellement jolie !

Il parcourut sa robe de soirée d'un regard intéressé. Même si Hugh tenait fermement les cordons de sa bourse, il avait accepté avec bonheur de financer l'amélioration de la garde-robe de Charlotte lorsqu'il avait appris la participation de la duchesse.

— Je suis certain que c'est l'une des créations que madame la duchesse a choisie pour toi.

— Bon sang, Hughie, j'ignore pourquoi je me suis laissée convaincre par Willa de porter cela.

Elle remonta doucement la basse encolure de sa robe, craignant que ses seins en bondissent inopinément.

— Je suis certain que si la duchesse de Hartwell a choisi ta robe, ce doit être le fin du fin, dit-il en lui donnant une petite poussée. Et ne m'appelle pas Hughie. Nous ne sommes plus à l'école. Je suis Shellborne, s'il te plaît.

Elle secoua la tête en signe d'affectueuse exaspération. Elle adorait son frère, mais il se prenait vraiment trop au sérieux. Retournant son regard vers la foule, elle repéra Camryn qui se dirigeait vers eux. Elle se figea. Il n'allait tout de même pas s'approcher.

Le marquis semblait avoir fait une tentative afin de dompter ses cheveux, mais la crinière revêche de couleur ambre était déjà ébouriffée d'une manière charmante. Une culotte beige enlaçait ses cuisses fortes, et sa redingote de soie rayée reflétait la lumière des chandelles. Les pans arrière de sa queue-de-pie croisée de couleur violet foncé battaient à chacune de ses longues enjambées. Il s'avançait avec l'assurance et la posture parfaite d'un commandant menant ses soldats à la bataille, assuré d'une inéluctable victoire.

— Bonsoir, Shellborne.

Même son ton de voix était impérieux alors qu'il faisait luire vers elle ces yeux pénétrants.

— Miss Livingston.

L'estomac chaviré, elle évita de le regarder dans les yeux, concentrant son attention sur la pierre précieuse violette de son épingle à cravate qui scintillait contre l'ascot d'un blanc luisant.

Hugh rayonnait.

— Camryn, comment vas-tu?

Après une pause difficile, Hugh regarda sa sœur, se demandant clairement pourquoi elle n'avait pas répondu à la salutation de Camryn.

— J'espérais que miss Livingston me fasse l'honneur d'une danse, dit-il d'un ton hardi et plein d'assurance. Si vous vous rappelez bien, après notre dernière valse, nous avons convenu que vous me feriez une place dans votre carnet de bal.

La colère de Charlotte éclata. Elle faillit gifler le visage suffisant de Cam. Comment osait-il l'approcher comme si rien n'était arrivé? Après la façon dont il l'avait plongée dans l'embarras, s'attendait-il à un retour serein aux bonnes manières?

Le visage rond de Hugh rougissait de délice.

— Bien sûr, ma sœur sera ravie de danser avec toi, Camryn.

— Excellent, dit Camryn en se retournant pour partir. Je reviendrai à la prochaine danse — une valse, je crois.

Charlotte serrait les poings sur ses hanches.

— Pourquoi cet arrogant…?

Hugh regarda Camryn disparaître dans la foule avant de se retourner pour lui lancer un regard lourd de sens.

— Un marquis, Charlotte. Songe aux possibilités.

— Je ne veux pas danser avec lui.

— Pourquoi pas ? dit Hugh en fronçant les sourcils. Tu sais bien qu'il est marquis, n'est-ce pas ?

— Ménage ton souffle, Hughie. Je ne danserais pas avec le marquis de Camryn même s'il était le roi d'Angleterre.

Sa voix tremblait d'indignation.

— Et rien ni personne ne me fera jamais changer d'avis.

— Si tu es venue en ville, c'est uniquement parce que je te sers de chaperon.

— J'ai un chaperon qui m'accompagne, dit Charlotte d'un ton abrupt, cherchant ses pensées.

Bien sûr, son frère n'allait pas laisser passer l'occasion que représentait Cam.

— De toute façon, puisque Maman n'aime pas la vie en ville, tu es ici sous ma direction et mes conseils. Si tu ne peux pas agir d'une manière qui fasse honneur au nom des Livingston, tu devrais retourner sans délai au Leicestershire.

— Ne sois pas intolérable, Hughie, dit-elle en grinçant des dents. Je ne réagis pas bien aux menaces.

— Tu as déjà fait injure au marquis en ne lui parlant pas lorsqu'il s'adressait à toi. À moins que tu aies une raison valable de ne pas danser avec lui, je dois insister pour que tu le fasses.

— Mais j'ai une raison valable.

Hugh écarquilla les yeux.

— Lottie, le marquis de Camryn t'a-t-il insultée ? Ou pire encore ? demanda-t-il en redressant le torse. S'il l'a fait, il me rendra des comptes, je le jure.

L'irritation de Charlotte fit place à une montée d'affection amusée à l'égard de son frère. Le baron corpulent et pompeux ne serait pas de taille à lutter de quelque façon que ce soit avec le formidable marquis de Camryn. Elle lui serra le bras.

— J'ai la chance d'avoir un frère qui ferait tout pour protéger ma réputation, même si cela voudrait dire vexer un pair du royaume.

— En toute sincérité, Charlotte, t'a-t-il offensée ?

— Non, bien sûr que non, dit-elle en mentant. Je vais danser avec Camryn. Il n'est pas bien méchant.

• • •

Le désir envahit Cam dès qu'il repéra Charlotte au bal. De toute évidence, elle avait mis un certain effort à soigner son apparence. La robe de soirée couleur ciel flattait son teint, sa coupe mettant en valeur les lignes sveltes de son corps beaucoup plus que les sacs ternes dans lesquels elle s'enveloppait habituellement. Ses yeux translucides paraissaient encore plus brillants que d'habitude, voire fascinants.

En la prenant dans ses bras pour une valse, il ne put s'empêcher de remarquer l'encolure plongeante. Son décolleté, modeste par rapport aux normes du beau monde, offrait néanmoins une vue affriolante des atouts féminins de Charlotte. Quelle agréable surprise que de découvrir qu'elle possédait plus de courbes que le suggéraient ses robes sévères ! Sans être volumineux, ses seins étaient crémeux, fermes et doucement arrondis. Très alléchants. Il se demanda ce que ce serait que de prendre dans sa bouche l'un de ces monticules doux et parfaits. La chaleur envahit tout son corps à la pensée de sucer sa chair de femme.

— Pourquoi m'avez-vous demandé de danser avec vous ?

Le ton cassant de Charlotte coupa net ses pensées vagabondes.

— Pour m'excuser de mon comportement de l'autre soir.

Il s'efforça d'ignorer son parfum floral, d'une séduisante subtilité. Il ne voulait surtout pas en arriver à un moment gênant sur la piste de danse, comme un quelconque gandin débutant.

— Je n'avais pas à vous offenser ainsi. Veuillez accepter mes excuses.

— Pourquoi l'avez-vous fait ?

Il aurait dû deviner qu'elle ne lâcherait pas si aisément. La plupart des autres femmes l'auraient fait. Elles auraient été heureuses de flirter avec lui et de le flatter, mais cette démone tentatrice était décidément différente de la plupart des femmes.

— Je préférerais ne pas aborder ce sujet, dit-il finalement d'un ton qui paraissait autoritaire, même pour lui. Qu'il me suffise de dire que je regrette beaucoup de vous avoir causé de la peine ou de la gêne.

— Non.

Il souleva le front.

— Non ?

Charlotte lui lança un regard de défi, serrant ses lèvres charnues en une ligne serrée qu'il eut la folle envie d'embrasser pour la consoler.

— Non.

Puis, en mettant l'accent sur chaque mot comme s'il était sourd, idiot — ou les deux —, elle dit :

— Je. Ne. Vais. Pas. Accepter. Vos. Excuses.

— Je vous demande pardon ? dit-il, abasourdi d'être défié si directement.

La plupart des demoiselles s'accrochaient à chacune de ses paroles et riaient de ses traits d'esprit, même de ceux qui n'étaient pas particulièrement amusants selon lui.

— Vous, milord, êtes un fat pétri d'orgueil, et je n'accepterai aucune excuse sans une explication entière de votre comportement.

— Un fat pétri d'orgueil ?

Il n'en croyait pas ses oreilles.

— Écoutez, miss Livingston…

Elle soupira, visiblement exaspérée.

— Non, vous, milord, vous allez écouter. Je suis lasse de votre humeur étrange, de votre comportement arrogant… Et par-dessus tout, je suis lasse de danser avec vous. Veuillez m'excuser.

Elle avait déjà parcouru la moitié de la piste de danse lorsque Cam se ressaisit et la suivit à grandes enjambées. Il prit sa main gantée et la posa sur son bras.

— Allons donc, miss Livingston, les crises de colère ne vous vont pas. Vous risquez de provoquer tout un brouhaha.

De petites taches rondes de couleur marquèrent ses joues anguleuses.

— Veuillez me lâcher, dit-elle entre ses dents serrées.

— Hélas, je ne puis m'y plier.

Cam continua à lui tenir la main, affichant un sourire poli.

— Willa va me désavouer si nous provoquons un autre incident. Et en ce moment, je crains davantage sa colère que la vôtre. Elle va tout me reprocher. Même si cet emportement est le vôtre.

Il gardait sa main libre serrée sur la sienne pour empêcher toute fuite.

— Toutefois, puisque vous exigez une explication, je vais vous rendre ce service. Mais pas ici.

— Ne me dites pas que vous voulez m'emmener dans le coin parfaitement isolé de la terrasse.

Cam aboya un rire amusé.

— Très juste, miss Livingston. Hélas, non. Tout le monde divague sur la galerie de portraits des Fulsome-Thrusby. Elle est à la fois privée et suffisamment publique pour la discussion que vous tenez à poursuivre.

Il l'escorta alors vers la galerie, un long corridor revêtu de boiseries et orné de portraits des ancêtres Fulsome-Thrusby, qui semblaient former une espèce plutôt dépourvue d'humour.

Charlotte s'arrêta, retirant sa main.

— Eh bien ?

Il s'efforça de poliment garder son regard rivé au sien, loin de l'intrigante courbe de poitrine qu'elle étalait ce soir-là.

— Eh bien, miss Livingston, vous ne serez sans doute guère surprise d'apprendre que j'ai développé une sorte de tendresse à votre égard.

S'il fallait en croire l'ouverture de sa bouche, on aurait pu dire avec assurance que cela la surprit. En fait, Charlotte paraissait carrément commotionnée. Elle ne pouvait tout de même pas être aussi inconsciente, n'est-ce pas ? La lady rosit, ses joues se teintant d'un délicieux incarnat qui s'étalait de son visage à son cou, puis jusqu'à cette poitrine, contre toute adorable attente.

La chaleur embrasa ses yeux cristallins, et le cœur de Cam fut serré par une émotion qu'il connaissait mal.

— Si c'est ainsi que vous montrez de l'affection, milord…

— S'il vous plaît, laissez-moi terminer, miss Livingston, dit-il en essayant de se ressaisir. J'ai eu l'occasion de vous trouver par hasard en deux occasions en ce qui pourrait être interprété comme une situation inappropriée avec un homme.

Elle se raidit. Toute la chaleur qu'elle avait montrée juste avant se changea en glace.

— Je vous demande pardon, Camryn, mais le seul gentleman qui m'ait récemment fait des avances inappropriées, c'est vous.

Le fait qu'elle rappelle leur baiser à la terrasse lui rappela la douceur sensuelle de ses lèvres ébahies.

— Oh, ce n'est pas un gentleman. L'idée même que vous puissiez badiner amoureusement avec un valet d'écurie…

— Badiner avec le valet ? bredouilla-t-elle. Faites-vous allusion à Nathan ?

— Oui.

— Lord Camryn… dit-elle avant de se dresser de toute sa hauteur. Bien que cela ne vous regarde aucunement, je dois vous dire que vous vous trompez gravement à propos de monsieur Fuller. Lui et moi sommes des connaissances de longue date, sans plus.

Monsieur Fuller. Cela paraissait presque respectable.

— Monsieur Fuller est le garçon d'étable qu'on appelle Nathan, je présume ?

— C'est bien le même. Et je vous assure que c'est un ami de longue date de la famille — rien d'autre.

— Je vois.

— Malgré tout, je dois dire que je trouve votre code de conduite fort fascinant, dit-elle d'un ton acerbe. Ce n'est pas mon badinage apparent avec un gentleman qui vous offense, mais plutôt le fait que je puisse permettre à un homme qui est d'un rang social inférieur au mien de prendre certaines libertés, n'est-ce pas?

Cam sentit filer une pointe de jalousie en se rappelant avoir vu Charlotte dans l'étreinte de Nathan.

— Vous jouez un jeu dangereux, miss Livingston. Vous risquez de détruire votre réputation par un flirt éhonté avec un valet.

Ses yeux lancèrent des éclairs. Elle remonta l'encolure de sa robe, et ce mouvement attira l'attention de Cam sur sa poitrine soulevée par une délicieuse indignation. Il imagina ces alléchants globes blancs bondissant hors de sa robe de soirée pour qu'il puisse prendre dans ses mains chacune de ces chaudes et douces sphères.

— Ce n'est pas vraiment un garçon d'étable. Nathan est un adulte qui se trouve aussi à être le cocher de Hartwell. C'est le cocher d'un duc, et on lui a confié de nombreuses responsabilités, comme la supervision de tous les autres valets et garçons d'étables.

Les pensées de Cam se posèrent ailleurs que sur la poitrine.

— Comme c'est éclairant. Je connais bien les devoirs d'un cocher. Après tout, j'en emploie un moi-même, dit-il en se tordant la bouche. L'estimé cocher de Hartwell a nettement une affection pour vous. Peut-être lui avez-vous donné une raison d'espérer que la fille d'un baron puisse accueillir les avances d'un cocher.

— Alors, c'est l'humble naissance de Nathan qui offense votre susceptibilité de gentleman.

De la glace se forma sur le regard vif de Charlotte.

— Peut-être trouveriez-vous plus acceptable que je badine avec, disons, un marquis?

Il se raidit en percevant le sous-entendu. Les yeux dans ses yeux sans fin, il s'aperçut que Charlotte Livingston avait l'étonnante capacité de l'agacer et de l'exciter à la fois.

— Il n'est pas nécessaire de recourir à la vulgarité, miss Livingston.

— Je vois. L'affection que me porte Nathan est vulgaire, tandis que votre propension envers des activités au jardin avec des ladys mariées est… quoi, exactement?

— Ah, vous voilà, lord Camryn.

Une voix mielleuse l'interrompit. Cam réprima un grognement alors que Maria Fitzharding avançait rapidement vers eux, accordant au passage à Charlotte un rapide regard dédaigneux avant de concentrer toute son attention sur lui.

— Milord, je vois que la galerie de portraits de lord Fulsome-Thrusby est tout simplement sans égale.

Charlotte se raidit. Son distant regard parcourut les courbes pleines et les seins trop généreux de Maria, qui s'avançaient dans sa direction. Son étude attentive remonta vers la bouche charnue de Maria, puis elle rougit et détourna les yeux.

Maria fit battre ses cils noirs.

— Peut-être auriez-vous l'amabilité de m'accompagner. Je sais qu'une promenade à travers la galerie Fulsome-Thrusby peut être fort stimulante.

L'implication évidente de son invitation resta en suspens.

Cam esquissa une révérence.

— Bien sûr, ma chère. Je serais ravi.

Il se tourna vers Charlotte.

— Peut-être miss Livingston aimerait-elle se joindre à nous ?

Maria, qui semblait avoir oublié la présence de Charlotte, tourna les yeux vers elle.

— Oh, oui, oui, bien sûr, dit-elle avec un évident manque d'enthousiasme. Venez donc avec nous, miss Livingston.

À la satisfaction de Cam, quelque chose de semblable à de la jalousie flamba dans les yeux de Charlotte.

— J'en ai assez vu… de cette galerie. Mais ne vous en faites pas avec moi et allez vous amuser !

Chapitre 6

L'été semblait enfin revenu à Londres. Les journées étaient plus chaudes et ensoleillées, parfois ponctuées de courtes averses. Comme la saison était presque terminée, les familles les plus importantes avaient déjà effectué leur exode annuel vers la campagne.

Charlotte avait décidé d'accepter l'invitation de Willa à passer le reste de l'été au manoir Fairview. Le duc et la duchesse étaient déjà partis pour la campagne, ayant quitté la ville assez tôt pour s'accommoder de la période de couches de Willa. Hugh avait l'intention d'accompagner Charlotte à Fairview quelques jours plus tard.

En cette journée de détente à Londres, elle était assise dans la salle familiale à l'étage de la maison Shellborne lorsqu'un valet de pied frappa à la porte pour l'informer que Hugh requérait sa présence dans le salon. En s'y rendant, elle se demanda pourquoi elle avait été convoquée.

Le visage rubicond et rayonnant de son frère l'accueillit à son entrée dans la chambre.

— Ah, la voici, dit-il à une silhouette assise près de la fenêtre.

Camryn se leva, sa présence éclatante dominant la pièce.

— Miss Livingston, dit-il. J'espère que vous ne m'en voudrez pas d'avoir pris la liberté de vous rendre visite à Shellborne.

Il portait une veste d'équitation noire, courte et ajustée. Ses cuisses athlétiques étaient bien enchâssées dans une culotte d'équitation en cuir brun clair boutonnée et attachée de part et d'autre de ses genoux. Ses bottes d'équitation brunes semblaient légèrement usées, mais sa chemise de lin, sa redingote et sa cravate étaient toutes d'un blanc impeccable. Comme d'habitude, ses cheveux de couleur fauve étaient en un désordre maîtrisé.

Elle n'avait pas vu le marquis depuis le bal chez les Fulsome-Thrusby, presque deux semaines plus tôt. Une jalousie furieuse flamba dans sa poitrine lorsqu'elle se rappela qu'il s'était échappé avec la très ardente madame Fitzharding. *Quelle catin!* Sans parler de Camryn, dont le comportement n'avait pas été meilleur. Elle n'avait pas à imaginer ce qu'ils avaient fait après qu'elle les avait laissés. Les images vives de leur rencontre antérieure à Fairview étaient encore gravées dans son esprit.

Comme Willa était partie et que les grandioses fêtes mondaines de la saison tiraient à leur fin, elle ne s'était pas attendue à revoir si tôt le marquis. Mais il était là, venu lui rendre visite, et malgré toute raison, son cœur à elle rayonnait de bonheur.

— Lord Camryn.

— Camryn a demandé la permission de te rendre visite, dit Hugh avec un enthousiasme à peine contenu.

Le regard ébahi de Charlotte vola vers Cam. Elle en avait la bouche sèche. Le marquis venait de déclarer formellement son intention de la courtiser. Elle fit un effort pour se rappeler que l'homme défendait des choses qu'elle méprisait. Mais en vain. Elle se sentait tout de même nettement grisée.

— J'espérais que vous m'accordiez une promenade sur la piste de Row, dit-il. Je crois me rappeler que vous avez une préférence pour la promenade vigoureuse.

— Cela me paraît agréable, dit-elle en s'efforçant de paraître calme. Avec votre permission, je vais aller me changer.

Il lui accorda un sourire nacré et dévastateur qui lui donna la chair de poule.

— Bien sûr.

— Amusez-vous bien, dit Hugh. Charlotte, n'oublie pas d'emmener ta servante.

Environ une heure plus tard, ils étaient à cheval sur la piste de Rotten Row. Ce n'était pas une période du jour en vogue pour être vu. Sauf pour les rares cavaliers, la piste semblait déserte depuis que tous ceux qui comptaient avaient quitté la ville. Cela leur donnait une chance de galoper librement, ce qu'ils préféraient tous les deux.

Lorsqu'elle fit enfin s'arrêter son cheval, Charlotte se mit à rire.

— Quel moment excellent pour une promenade ! dit-elle, les joues encore réchauffées par leurs efforts. C'est mon premier retour en selle depuis ma chute.

Les yeux d'un vert doré de Cam se plissèrent.

— Je suis reconnaissant du fait qu'il n'y ait pas de sauts élevés qui vous pousseraient à perdre de nouveau votre équilibre.

— Vous parlez en mufle, dit-elle avec un mouvement brusque de la tête. Comme vous vous le rappellerez, je n'ai pas fait une chute à cause de la rigueur des sauts. Mon cheval a sursauté, et comme j'étais distraite par vous, on pourrait prétendre que c'est votre faute.

Il rejeta la tête en arrière et rit, le soleil effleurant l'admirable contour de son profil, un nez masculin bien sculpté et un menton ferme. Son rire lui ressemblait : si ample et débridé, il faisait gronder tout son torse.

— Eh bien, dans ce cas, permettez-moi de m'excuser en vous offrant un pique-nique, dit-il, l'œil pétillant. Ma cuisinière nous a préparé un véritable festin.

Regardant la sacoche accrochée à sa selle, elle dit :

— Vous étiez donc certain que je vous accompagnerais ?

Il descendit sans effort de son cheval et vint l'aider à descendre aussi.

— Je connais la puissante emprise qu'a sur vous la promesse d'une promenade rigoureuse, miss Livingston. J'ai été juste assez habile pour m'insérer dans cette image attirante.

Ses grandes mains chaudes enlacèrent sa taille, l'aidant à mettre pied à terre, bouleversant ses entrailles. Elle regarda la piste en direction de l'endroit d'où ils venaient d'aller. Elle ne voyait pas Violet.

— J'ai l'impression d'avoir perdu mon chaperon, dit-elle lorsque son pied toucha terre.

Il regarda sur la piste.

— Votre servante nous rattrapera dans un court moment, dit-il en étendant une couverture pour leur pique-nique. Nous ne sommes pas loin de la piste. Elle ne peut pas nous rater.

Elle se dit qu'il avait raison. Ils étaient suffisamment proches de la piste pour qu'on les remarque, et par conséquent, Violet allait probablement les voir. Il avait choisi un coin pittoresque près du lac Serpentine. Elle fit quelques pas jusqu'au bord de l'eau puis enleva son bonnet et sa veste d'équitation rouge et bien ajustée. Sous sa veste, le chemisier blanc de Charlotte était enfoncé dans une juge d'équitation brune suspendue à des bretelles.

— À quoi pensez-vous? demanda-t-il.

— Au fait qu'il est présomptueux de votre part de me rendre visite après notre dernière rencontre.

— Mais miss Livingston, dit-il, d'après mon souvenir, je vous ai présenté mes excuses lors de notre dernière rencontre.

— Je parle de ce qui s'est passé après les excuses, dit-elle en se tournant vers lui. Voulez-vous vraiment me courtiser?

— En effet, miss Livingston, c'est vrai. Puisque vous appréciez l'honnêteté et la franchise, j'ai senti que c'était la façon la plus claire de démontrer mes intentions.

Elle rougit de plaisir. Il avait vraiment l'intention de la courtiser.

— Il est insultant que vous supposiez de me courtiser après cette scène disgracieuse avec madame Fitzharding.

Ses yeux dorés s'obscurcirent.

— Je me suis déjà excusé du fait que vous ayez eu à être témoin de cette malheureuse rencontre.

— Non, pas à Fairview. Je fais référence à la fête mondaine des Fulsome-Thrusby, où vous vous êtes esquivé avec cette femme.

Les entrailles brûlantes, elle revint à leur espace de pique-nique et jeta sa veste d'équitation et son bonnet sur la couverture.

— Vous saviez que je savais très bien ce qui allait suivre une fois que je vous aurais laissés.

Les yeux pétillants, Cam marcha à grands pas vers elle. Atterrée par cette proximité, elle recula contre l'arbre. Il posa les mains des deux côtés de sa tête, ses paumes à plat contre le tronc épais, ce qui la coinçait tout à fait.

— Est-ce de la jalousie que je détecte?

— Certainement pas.

Ses battements de cœur accélérèrent.

— Il est difficile de laisser de côté votre insulte éhontée.

Il se pencha un peu plus, son odeur musquée entourant Charlotte.

— Vous serait-il réconfortant de savoir qu'il n'est rien arrivé, sinon une sympathique visite de la galerie de portraits?

Elle avala sa salive.

— Je trouve cela difficile à croire.

Il se pencha juste un peu plus en avant. Son regard remua le visage de Charlotte, semblant absorber chaque courbe et chaque ride.

— J'ai goûté, dirons-nous, à une amitié avec madame Fitzharding.

Sa voix provocante la caressait.

— Il serait grossier et blessant de ma part de la délaisser complètement parce que je ne désire plus une relation physique avec elle.

— Est-ce bien vrai?

Le bas de son ventre palpitait alors qu'il lui parcourait le corps de son regard attentif. Il tendit la main pour soulever une bretelle, et ses longs doigts effilés le caressèrent à l'endroit où elle était posée sur sa poitrine. Son corps à elle frissonna jusqu'à ses orteils. À sa grande honte, ses seins s'éveillèrent pleinement, leurs pointes exerçant une pression contre son chemisier blanc.

Le regard noir de Cam suggérait qu'il l'avait remarqué. Sa respiration changea et devint superficielle, stimulant le sang de Charlotte. Il se pencha vers elle et posa des lèvres chaudes sur le point de pulsation situé sur le côté de son cou.

— Oui, murmura-t-il contre sa peau sensible, c'est vrai.

Elle trembla en sentant le flirt tout léger de sa bouche sur sa gorge.

— Comme c'est galant de votre part! dit-elle, à bout de souffle. Et prenez-vous des libertés avec moi parce que vous tenez pour acquis qu'une lady qui badine avec un garçon d'étable accorderait sûrement des faveurs à tous les autres qui les lui demanderaient?

Il gloussa contre son cou, et la bouffée de souffle chaud chatouilla la peau de Charlotte.

— Non, dit-il, se redressant pour replacer sa bretelle par-dessus son sein. Je ne crois plus que ce soit le cas.

— Et pourquoi donc?

Il regarda ses doigts frôler son mamelon durci, le remuant avec une résolution qui provoqua en elle de douces vagues de plaisir douloureux. Troublée et excitée, elle leva les yeux vers son regard passionné.

— Vous vous êtes décrite comme une femme qui ne ment jamais, et je vous crois. J'ai votre parole que rien de fâcheux ne s'est passé entre vous et le garçon d'étable.

Il ramena ses lèvres sur le cou de Charlotte

— Cocher, le reprit-elle en soupirant et en fermant les yeux, soulevant son menton pour recevoir les délicieux baisers qu'il parsemait le long du côté de son cou.

— Mes excuses, murmura-t-il sans se laisser décourager de sa tâche. Cocher. Cet oubli est impardonnable.

— Pourquoi avez-vous eu cette attitude désagréable à la fête chez Willa, dans ce cas ?

— Parce que je n'aimais pas penser qu'un autre homme puisse vous toucher.

En un seul et même mouvement fluide, ses lèvres montèrent avec langueur le long de son cou et par-dessus sa bouche, qu'il prit avec une douce insistance, donnant des pinçons et la goûtant d'une façon tentante qui la laissa avec un désir insensé.

— Dites-moi que vous me pardonnerez.

Lorsqu'il darda sa langue contre la fente de sa bouche, elle ne se rappelait pas ce qu'elle avait à lui pardonner. Elle écarta les lèvres, impatiente de le goûter. Il s'y glissa immédiatement, explorant la surface lisse à coups profonds et bien sentis. Elle l'embrassa à son tour, glissant sa langue contre la sienne. Oubliant toute convenance, elle l'étreignit, laissant ses mains parcourir dans son dos l'extraordinaire mélange de muscles lisses et d'os. Il paraissait solide et souple, et elle en voulait plus. Tellement plus.

Le mouvement sembla enhardir Cam. Il poussa contre elle vers le haut, son corps tenace à plat contre le sien, l'embrassant plus profondément. Elle gémit en sentant, appuyée contre son ventre, sa chair mâle excitée. Son esprit se rappelait l'avoir vue déchaînée, grosse et fière. Cam déplaça ses mains chaudes le long des flancs de son corps pour prendre son derrière, la serrant bien contre ses hanches.

Elle frotta son corps contre sa chaleur chaude et dure, essayant de soulager une faim qui grandissait en elle et se demandant vaguement comment elle pouvait être si enivrée par un homme dont les aspirations étaient tellement contraires aux siennes.

Rompant le baiser, Cam posa son front contre celui de Charlotte.

— Charlotte, mon amour, dit-il d'une voix râpeuse. Dites-moi quand m'arrêter.

L'euphorie monta en elle à la pensée qu'elle pouvait pousser cette magnifique créature jusqu'à la limite de sa maîtrise.

— Osez, ne vous arrêtez pas, dit-elle en haletant.

Posant sa main derrière la tête de Cam, elle attira sa bouche contre la sienne. Sa langue se tendit pour à nouveau goûter la sienne, suçant légèrement, espérant que ce sentiment ne cesse jamais.

Un bruit fondamental surgit de quelque part au fond du torse de Cam. Abandonnant toute prétention à la retenue, il s'empara de sa bouche, écrasant sa virilité contre elle. Charlotte eut le souffle coupé par cette merveilleuse sensation. Poussée contre la rude écorce de l'arbre, elle ouvrit les yeux pour pleinement voir Cam, impatiente d'absorber toutes les nuances de son visage.

Mais au lieu de cela, son cœur s'affaissa. Le cheval de Violet apparut au loin, arrivant sur la piste. En panique, elle repoussa Cam. Se baissant d'un seul mouvement rapide sur la couverture, elle s'affaira à déballer leur pique-nique.

— Nous avons été rattrapés, comme vous l'aviez prévu, dit-elle en faisant mine de sortir la nourriture.

Cam pivota, marchant à grands pas vers le bord de l'eau, tournant le dos à la fois à Charlotte et à la piste. Violet s'approcha, ballottant au hasard sur sa monture, à bout de souffle et le visage rouge.

Charlotte accueillit sa servante comme si de rien n'était, reconnaissante du fait que son chaperon ne puisse détecter la façon dont son corps palpitait encore à cause des caresses de Cam. Criant au marquis de s'approcher, elle retira le poulet rôti, et ils se mirent tous à manger.

• • •

Le lendemain encore, Cam rendit visite à Charlotte, puis le surlendemain aussi. Plus il la voyait, plus il voulait la revoir. Les deux fois, ils allèrent en promenade, toujours suivis par Violet. Au grand dam de Cam, ils avaient toujours leur chaperon. Après sa défaillance initiale, la fidèle servante de Charlotte semblait déterminée à faire son devoir pour sauvegarder la vertu de sa maîtresse.

Ils furent incapables de s'esquiver seuls ensemble avant la semaine suivante, lorsque Cam accompagna Charlotte au déjeuner pique-nique des Ellerbee à leur domaine situé à proximité de Londres. Cet élégant événement en plein air présentait un festin élaboré étalé sur la pelouse à l'arrière du manoir, où d'impeccables jardins débouchaient finalement sur des zones sauvages, herbues et boisées. Le rassemblement n'était pas trop considérable, puisque la plus grande partie du beau monde s'était déjà retirée à la campagne pour l'été.

Cam regardait Charlotte se mêler à certaines des jeunes demoiselles les plus désirables de la saison, dont la plupart portaient des robes de jour qui, en quelque sorte, paraissaient trop élaborées. Le tissu vaporeux de la simple robe pêche de Charlotte avait une touche légère qui convenait parfaitement à une journée d'été. Sa servante avait remonté sa chevelure en laissant tomber des frisettes en cascade, mettant en valeur son long cou pâle et le doux renflement de ses seins ronds. Le désir tournoyait dans le ventre de Cam. *Quelle belle femme! Belle?* Il fut renversé de se rendre compte à quel point elle était devenue attirante pour lui.

Après avoir rempli leurs assiettes, il accompagna Charlotte jusqu'à une zone ombragée, un peu à l'écart des autres pique-niqueurs, content de l'avoir de nouveau à lui seul.

Tout en sirotant sa limonade, elle regarda autour d'elle.

— C'est un coin retiré.

Il lui enleva sa nourriture et la déposa sur le sol.

— Oui, je l'ai choisi exprès.

Il lui prit également le verre, le déposant soigneusement en terrain plat pour éviter qu'il se renverse.

— Et pourquoi donc?

Il s'émerveilla de la façon dont le soleil éclairait le bleu clair de ses yeux.

— Je ne me donnerai pas la peine de déguiser ma pensée, miss Livingston.

Lui prenant la main, il attira Charlotte vers le tronc massif sans qu'ils puissent être vus du reste des invités.

— J'espère vous voler un autre baiser. En fait, je n'ai pas pensé à grand-chose d'autre depuis notre dernier. Me le permettrez-vous?

Elle rougit, le regard flottant au-delà de lui.

— Vraiment, Camryn, si vous m'en demandez la permission, ce n'est plus voler un baiser.

Le sang afflua jusqu'à ses organes vitaux lorsqu'il comprit qu'elle venait de lui dire de prendre ce qu'il voulait. Secouant la tête, il se demanda ce qu'avait cette femme pour le rendre désespérément désireux de la toucher de nouveau. Il avait passé une semaine atroce depuis qu'il avait senti ses lèvres sous les siennes. Soudain, alors qu'elle lui en offrait enfin l'occasion, il la saisit avidement.

Prenant au creux de ses mains les joues de Charlotte, il s'émerveilla de leur douceur satinée avant de baisser son visage contre le sien, embrassant un côté de sa bouche succulente puis l'autre. Ensuite, il intensifia ses gestes, appuyant sur ses lèvres, l'encourageant à les lui ouvrir comme elle l'avait déjà fait. Alors, il l'embrassa plus profondément que jamais auparavant avec une autre femme. Il lécha et plongea sa langue plus à fond, avide de goûter davantage, se perdant dans son subtil parfum floral. Elle goûtait la limonade, la douceur d'une femme et le potentiel illimité. Sa langue inexercée s'aventurait à le goûter aussi, provoquant chez lui un bruit de surprise ravie. Le bourdonnement émerveillé qui monta du fond de la gorge de Charlotte ranima son corps en une montée de chaleur.

La conscience lui revint graduellement, rappelant à Cam leur entourage. Il se retira avec à grand regret, le sang bouillonnant, et s'obligea à reculer d'un pas pour ne pas attirer Charlotte sur l'herbe et lui faire l'amour sur-le-champ, à proximité des autres invités.

Elle resta figée sur place, les yeux encore clos, des cercles rouges marquant la cambrure élevée de ses joues. Après un moment, comme étourdie, elle battit des paupières. Il reconnut aisément l'excitation brumeuse de ces profondeurs bleues et floues, car elles reflétaient la sienne.

Ils restèrent un moment l'un devant l'autre, leurs corps séparés, mais leurs regards étroitement liés. Elle cligna des yeux.

— Quand j'ai dit que vous aviez la langue agile, je n'en avais vraiment aucune idée.

— Dis donc, Camryn, est-ce bien toi ?

Il regarda à l'aveuglette dans la direction de la voix, reconnaissant du fait qu'un étranger ne voie que deux personnes debout à une distance appropriée l'un de l'autre, et non l'orage de passion qui formait un arc entre eux quelques moments auparavant. Alors que l'homme se rapprochait, il reconnut son vieil ami de Cambridge.

— Selwyn, comme d'habitude, tu arrives à point.

David Selwyn sourit, s'inclinant vers Charlotte.

— Miss Livingston, je suis ravi de voir que les femmes adorables et gracieuses n'ont pas toutes déserté la ville.

Elle lui rendit son sourire, parvenant à paraître remarquablement calme malgré ses joues rouges.

— J'espère que vous vous joindrez à nous, monsieur Selwyn.

Cam alla s'installer sur la couverture.

— Oui, je t'en prie.

Avec le duc de Hartwell, Cam et Selwyn avaient mené à l'université un groupe tapageur qui excellait, qu'il s'agisse de sports, de femmes ou de leurs études. La richesse et le rang de Selwyn ne correspondaient pas à ceux de ses amis, mais il compensait par une intelligence évidente, un caractère agréable et un style discret. Même s'il n'était pas particulièrement joli, il avait un comportement agréable et prenait grand soin de son apparence et de ses manières.

— Merci.

Avec un rapide regard appréciateur de ses compagnons, il s'installa sur l'herbe.

Le corps de Cam bourdonnait encore de sa rencontre avec Charlotte.

— Pour ma part, je meurs de faim, dit-il en tendant le bras vers son assiette.

Alors qu'ils mangeaient, les deux hommes s'engagèrent dans un badinage aisé, né d'une amitié et d'une familiarité de longue date. Lorsqu'ils furent rassasiés, ils s'étendirent avec un verre de limonade fraîche apportée par un valet de pied, profitant de l'ombre partielle qu'offrait l'arbre en cette journée estivale agréablement chaude. Charlotte reposait son dos contre l'arbre tandis que Cam était étirée sur le côté, appuyé sur un coude.

Dépliant ses jambes et les croisant à la cheville, Selwyn posa ses mains sur le sol derrière lui pour soutenir son poids.

— Avez-vous entendu parler des derniers troubles des luddites dans le Lancashire?

— Oui.

Tournant son visage vers le haut, Cam se prélassait dans un chaud éclat de soleil qui s'était faufilé entre les branches de l'arbre. Il bâilla alors qu'une satisfaction paresseuse se répandait en lui.

— La Couronne aurait déjà dû réprimer cela.

— La seule façon d'arrêter les soulèvements est d'offrir aux travailleurs un moyen de rechange pour nourrir leurs familles, dit Charlotte.

Selwyn tourna la tête vers Cam.

— Ai-je entendu dire que tu trempes dans l'industrie du tissage, Camryn?

Cam était étendu à plat sur le dos, les mains derrière la tête, jouissant de la chaleur apaisante des rayons du soleil, mais pleinement conscient du fait que Charlotte s'était raidie à côté de lui.

— Oui, Harwell et moi avons récemment acquis une nouvelle usine non loin du manoir Fairview.

— Alors, vous deux, vous voyez un avenir dans ces machines?

Le mari de Willa s'était révélé un astucieux homme d'affaires, ayant bâti la plus grande part de sa fortune avec les exportations de sucre indien.

— Les machines travaillent beaucoup plus rapidement que les personnes.

Cam lança un regard de côté à Charlotte, remarquant qu'elle avait serré ses lèvres charnues en une fine ligne alors qu'il répondait.

— Et en définitive, elles produisent davantage à moindre coût.

Selwyn secoua la tête.

— Mais les casseurs de machines en font une aventure périlleuse.

Cam opina de la tête en signe d'accord.

— Maintenant que le fait de briser des machines est un crime capital, certains d'entre eux devront être pendus.

— C'est ce Ned Ludd, dit Selwyn à propos de l'énigmatique chef des agitateurs. S'il existe vraiment.

— Je suis sûr que ce n'est qu'un mythe.

Les yeux bleus de Charlotte s'assombrirent.

— On dit que le véritable Ned Ludd était un simple d'esprit qui a fortuitement brisé un métier à tisser mécanisé, et non ce charismatique général Ludd dont parlent les gens et qui mènerait la rébellion.

— S'il existe vraiment, il faut le pourchasser sans merci.

Cam s'étira avec un soupir de contentement, appréciant le sentiment d'avoir l'estomac plein, la douce température et la satisfaction étonnamment chaude d'avoir Charlotte à ses côtés.

— Je serais heureux de mener la charge. Prendre leur chef, c'est décapiter le serpent.

L'obscurité avait commencé à tomber au moment où Cam raccompagna Charlotte chez elle. Assis en face d'elle sur le siège orienté vers l'arrière, il examinait les détails de son visage — ses pommettes élevées et le doux galbe de sa mâchoire, ses yeux vifs et, sous eux, des lèvres roses et charnues. Droite comme un piquet, elle ne semblait pas avoir conscience de l'inspection. La peau pâle et les traits tirés, elle semblait perdue dans ses pensées. Peut-être la conversation sur les usines l'avait-elle de nouveau bouleversée.

Ou peut-être le baiser d'aujourd'hui l'avait-il embarrassée. Il espérait que non. Après tout, il avait annoncé son intention de la courtiser, et son esprit accueillait rapidement l'idée du mariage. Plus il y pensait, plus il en venait à croire que Hart avait peut-être raison à propos de l'attention de Cam envers Charlotte. Peut-être était-elle sa future compagne.

Il avait souvent pensé à elle depuis leur première promenade ensemble à Fairview. L'étreinte d'aujourd'hui avait été une révélation et démontrait la profondeur de leur attirance physique. En plus de son esprit vif et de sa langue acerbe, Charlotte ne serait jamais une conjointe terne, une fois devenue marquise.

Bien sûr, il avait hâte de la posséder pour voir cette preste suavité débarrassée de tout vêtement. Il se demandait ce que ce serait d'aller et venir en elle, de l'entendre crier de plaisir.

La pensée d'explorer comment sa franchise allait jouer entre les draps faisait frémir son corps sous la ceinture.

Allait-elle apporter le même niveau de franchise et de manque d'artifice dans le lit conjugal ? Ce n'était pas le cas de tout le monde, mais il croyait que oui. Il sourit. Oui, c'étaient les ingrédients d'un bon mariage. Cependant, il n'était pas certain de ses pensées et de ses sentiments au sujet du mariage. Cela importait peu. Si elle s'avérait résistante, il allait recourir à un brin de séduction. Un petit effort pour séduire Charlotte en valait largement la peine.

À 33 ans, il avait dépassé l'âge auquel la plupart des hommes se mariaient pour fonder une famille. Il n'avait jamais vraiment réfléchi à l'idée d'avoir des enfants. Bien sûr, il avait toujours su qu'un héritier serait nécessaire. Mais à présent, l'idée qu'une petite fille aurait les incomparables yeux bleus de Charlotte lui donnait la sensation d'avoir un poing dans la gorge. Former une famille avec elle semblait être un progrès naturel vers l'avenir.

Lorsqu'ils arrivèrent à la maison Shellborne, il aida Charlotte à descendre de voiture et l'accompagna jusqu'à la porte.

— Merci pour une journée fort adorable, miss Livingston, dit-il d'un ton chaleureux. J'espère que vous me permettrez de vous rendre visite demain.

Une ombre traversa ces yeux azur, tamisant leur lumière et leur donnant un air étrangement détaché et fermé. Un mauvais présage le fit tressaillir.

— Merci, milord, dit-elle. Mais je ne crois pas que ce soit sage.

— Oh ? insista-t-il, son esprit incapable de saisir ce que l'instinct lui disait déjà. Avez-vous un engagement déjà prévu ?

Son visage se ferma.

— Non, mais je préfère que vous ne me rendiez plus visite. Nous ne sommes pas bien assortis.

Il renversa la tête, certain de ne pas avoir entendu correctement.

— Vous n'êtes pas sérieuse, j'espère.

Certes, le temps qu'ils avaient passé ensemble avait été bref, mais c'était le plus idyllique qu'il eût jamais connu. Elle ne pouvait croire qu'ils n'étaient pas bien assortis.

Il fronça les sourcils.

— Assurément, ce que cette journée a démontré, c'est que nous nous convenons mutuellement de toutes les façons.

Il se rapprocha d'elle, parlant d'un ton rapide et urgent.

— Est-ce le fait que je possède des usines ? Lorsque vous les aurez visitées, vous changerez d'opinion.

Elle recula, ses yeux bleus et froids rencontrant les siens.

— J'en doute. De toute façon, c'est sans importance. Il n'est que juste que j'avoue que mes affections sont prises par un autre.

Un autre homme ? Le sol trembla sous ses pieds.

— Puis-je vous demander qui est ce gentleman ?

Elle se gratta derrière une oreille, et ses yeux obliquèrent.

— Vous l'aviez soupçonné. J'ai un attachement pour monsieur Fuller, dit-elle en se retournant pour entrer. Il n'y a absolument aucune raison de poursuivre notre amitié.

Le garçon d'étable ? Il ne le croyait pas. Avant qu'il puisse ajouter quoi que ce soit, elle pénétra dans la maison et claqua la porte derrière elle, laissant Cam sur le seuil, frappé de stupeur et seul.

Chapitre 7

— Ouah, dit Willa en marchant à pas lents avec Charlotte dans les jardins méticuleusement entretenus de Fairview. Je sais bien que c'est censé être un état de béatitude, mais c'est si inconfortable.

Elles parcouraient un sentier de gravier bordé de fleurs aux couleurs vives, où les teintes de jaune, de violet et de lavande se disputaient leur attention. Le mélange de fragrances changeait à mesure que les femmes avançaient, la calme intensité de certaines fleurs s'entremêlant aux parfums légers, presque éphémères, des autres.

Depuis son arrivée, quatre jours auparavant, Charlotte s'était jointe au rituel quotidien d'exercices de la duchesse.

— Il serait plus facile de compatir si tu n'étais pas encore aussi belle, dit-elle en marchant à un rythme nonchalant. Mon Dieu, Willa, je crois que le fait d'avoir un enfant te rend encore plus accorte.

Comme la plupart des gens, Charlotte demeurait en admiration devant la beauté sombre et terrienne de son amie. Les grands yeux d'un brun velouté de Willa et son teint de délicate porcelaine étaient surmontés d'une luxuriante crinière de boucles châtaines et indisciplinées. Charlotte se sentait grande et informe à côté des courbes agréables de la duchesse, qui étaient remarquablement améliorées par sa condition actuelle. Regardant le ventre rebondi de Willa, elle dit :

— Je parie que le duc apprécie certains de ces changements.

Willa écarquilla les yeux.

— Tu es si facétieuse !

Elle rit et passa son bras à celui de Charlotte. Au cours de cette année écoulée depuis leur première rencontre, les deux femmes avaient formé un lien profond. Ferventes lectrices, elles appréciaient le défi des idées nouvelles. Et malgré leur penchant pour le discours sérieux, ces femmes prenaient également plaisir à l'aspect frivole de l'amitié, mêlant à leurs bavardages une abondance de sottises et de rires.

— J'ai entendu dire que tu avais passé du temps avec mon fringant cousin avant de venir te joindre à nous ici, dit Willa.

— Comment donc sais-tu cela ?

La douleur lui malaxa la poitrine lorsqu'elle l'entendit nommer Camryn. À Londres, il lui avait fallu toute sa force pour le rejeter. Le malheur relié à ce geste subsistait encore.

— La semaine dernière, monsieur Selwyn est venu me rendre visite.

Arrivant près d'un banc, Willa s'y affaissa pour se reposer.

— J'imagine qu'il avait à discuter d'affaires avec Hartwell. Il a parlé d'un pique-nique en après-midi avec vous deux.

— Oui.

Tentant d'affecter l'indifférence, Charlotte cueillit une primevère et la porta à son nez pour en humer le parfum épicé.

— Nous sommes aussi allés nous promener à quelques reprises à Hyde Park. C'était fort agréable, mais je n'ai pas revu le marquis depuis.

Elle fit à son amie un regard lourd de sous-entendus.

— Et je ne m'attends pas à ce qu'il revienne.

Willa resta bouche bée.

— Alors, c'est navrant. J'ai toujours cru que vous deux iriez bien ensemble.

— Mais comment as-tu pu croire cela ?

Elle scrutait la primevère, cueillant méthodiquement ses pétales violet foncé.

— Dans mes écrits publiés, je me répands en injures contre les industriels de son acabit. Nous nous entendons comme chien et chat.

— Sottises ; tu ne connais pas encore assez bien Cam. Il s'adonne à des activités sociales et a même des ambitions politiques.

Elle leva les yeux de sa fleur à moitié dépouillée.

— Des ambitions politiques ?

— Il n'en parle pas, mais selon Hart, Cam est en passe de devenir l'un des membres les plus influents de la Chambre des lords. Il trouve que Cam a un potentiel illimité.

Elle jeta la fleur.

— Crois-tu qu'il poursuivra un plus haut poste ?

— Hart dit que Cam pourrait bien être ministre un jour, s'il en fait le choix.

Willa poussa lourdement sur ses pieds pour reprendre la marche.

— Et si tu devais l'épouser, pense à la façon dont tu pourrais l'influencer pour qu'il soutienne tes causes.

— L'épouser ?

Elle eut un pincement au cœur, car elle savait que cela n'arriverait jamais.

— S'il te plaît, Willa, enlève-toi ces absurdités de la tête. Camryn a clairement exprimé son mépris envers mes causes. Je ne pourrais espérer l'influencer d'aucune façon significative.

Elle passa son bras à celui de Willa tout en l'attirant doucement.

— Changeons de sujet. Rentrons et dis-moi si tu as songé à un nom pour le bébé.

De retour au manoir, elles apprirent que le duc avait été appelé à s'occuper d'une affaire urgente. Shellborne, qui avait escorté Charlotte à Fairview et prévu de partir le lendemain, l'avait accompagné, de même que le valet de Hart et quelques valets d'écurie. Cependant, Digby, le majordome, ne connaissait pas la nature exacte de l'affaire.

Willa fronça les sourcils alors que les deux femmes se mettaient à déjeuner seules.

— Où pourrait-il être parti ? Et pourquoi a-t-il emmené autant de gens avec lui ?

— C'est peut-être une urgence concernant l'un de ses locataires, dit Charlotte.

Le front parfaitement courbe de Willa se fronça.

— Hart prévoyait rester aujourd'hui pour travailler avec son intendant. Si cela impliquait les locataires, son intendant serait allé avec lui.

L'après-midi s'étira en soirée, et elles durent dîner seules avant de se retirer dans leurs appartements vers minuit, encore sans nouvelles des gentlemen. Ce n'est qu'au matin que Charlotte en reçut.

— Monsieur le duc et les autres sont revenus.

C'était Molly, la servante, qui relaya enfin l'information en apportant son chocolat à Charlotte.

Soulagée, elle se détendit.

— Ils sont sains et saufs ? Tout va bien ?

— Il semble bien que oui, milady, dit Molly en s'agenouillant pour nettoyer les grilles de la cheminée. C'est un soulagement, car nous pensons tous le plus grand bien de monsieur le duc.

Elle essuya l'âtre avec de l'eau et l'assécha avec un linge.

— Je ne vous cache pas que j'avais peur de quitter l'emploi de lord Camryn, mais tout s'est bien passé, vraiment.

Le cœur de Charlotte se serra en entendant de façon inattendue le nom de Cam. Balançant les jambes par-dessus le bord du lit, elle prit sa robe de chambre.

— Tu étais au service de Camryn Hall ?

— Oui, mademoiselle. Madame la duchesse voulait que moi et Clara — c'est la domestique de la lady —, nous l'accompagnions lorsqu'elle se marierait, alors c'est pour cela que nous sommes là.

La fille utilisait un briquet à amadou pour allumer la flamme.

— Et comment s'est passé ton séjour à Camryn Hall ?

— C'était très bien, miss. Le vieux marquis, le vénérable père de madame la duchesse, était vraiment gentil. Mais c'est lord Camryn qui a effectué les changements, vraiment.

Molly se redressa pour évaluer le feu avant de décider d'y jeter plus de bois

— En ville, il a amélioré les chambres des domestiques. Moi, comme j'étais servante à l'étage, j'avais une chambre au grenier. Mais les domestiques des étages d'en dessous...

Elle secoua la tête.

— Continue, insista-t-elle, cherchant désespérément toute bribe d'information sur le marquis.

— Leurs chambres au sous-sol étaient mauvaises, si vous me pardonnez l'expression, miss. C'était sombre, et on ne voyait même pas où on allait.

Molly alla ouvrir les rideaux.

— Et la fumée, Seigneur! C'était tellement enfumé à cause des chandelles et des lampes à huile. On avait de la difficulté à respirer.

Sirotant le chocolat chaud, Charlotte prit un fauteuil près du feu de petit bois et replia ses jambes sous elle. À Londres, les conditions que décrivait Molly n'étaient pas rares pour les domestiques, dont les chambres au sous-sol étaient reconnues pour leur obscurité et leur manque de ventilation. Beaucoup avaient des coins arrondis pour éviter que ces domestiques se blessent en se hâtant d'aller servir leurs maîtres.

— Et lord Camryn a rectifié la situation? redemanda Charlotte au-dessus du bord de sa tasse.

— Oui, miss. Il était outré de voir l'état des choses en bas.

Molly se déplaça dans la pièce, se redressant.

— La plupart des maîtres ne se donnent pas la peine de visiter les chambres des domestiques, mais notre milord l'a fait. Il a installé un endroit spécial au-dessus des écuries pour que les domestiques d'en bas puissent dormir avec les valets d'écurie. Maintenant, ils respirent de l'air frais.

— Louable, murmura-t-elle en sirotant sa boisson, la douce chaleur glissant dans sa gorge et réchauffant ses entrailles.

Camryn n'était pas tout à fait l'autocrate qu'il semblait être.

— Et les gages, miss, il a dit qu'il était plus que temps de les augmenter.

— L'a-t-il fait?

— Oui, miss. Nous avons tous reçu une augmentation, et pas seulement les domestiques principaux. Il a augmenté ma paye d'au moins 10 livres par année. Et même les jeunes bonnes ont reçu cinq livres de plus.

— Comme c'est généreux! dit Charlotte, un sourire accroché aux lèvres. Es-tu aussi bien choyée ici?

— Ah oui, miss. Lady Willa — je vous demande pardon, madame la duchesse — m'a promis que les gages et les bonis allaient rester les mêmes ici qu'à Fairview. Et comme je n'ai aucune famille au village à Camryn Hall, je suis venue ici.

Plus tard, Charlotte se trouva à chantonner en s'habillant, revigorée par les révélations de Molly sur la discrète générosité de Cam envers ses domestiques. Toutefois, sa bonne humeur fut atténuée au petit-déjeuner lorsqu'elle apprit pourquoi les hommes avaient été appelés à partir.

— Des casseurs de machines ont attaqué la manufacture, leur dit le duc alors qu'ils mangeaient. Certains des métiers sont lourdement endommagés.

— Pardonnez-moi de le dire, milady, mais ce sont ces satanés luddites, dit Hugh en avalant une bouchée de tourte aux rognons. La Couronne doit envoyer d'autres soldats pour étouffer les soulèvements avant qu'il soit trop tard.

Un frisson la parcourut. Un raid clandestin en soirée pour attaquer et détruire des métiers, cela avait tous les signes distinctifs des luddites.

— Est-ce que la réparation des dommages va s'avérer coûteuse?

— J'en ai bien peur.

Un mouvement au seuil de la salle du petit-déjeuner détourna l'attention du duc.

— Ah, voici Cam.

Entrant dans la pièce, le marquis de Camryn inclina sa crinière ambre et ébouriffée devant le groupe assemblé.

— Je vous dis bonjour.

Habillé dans le style rustique, il avait la peau bronzée, et une culotte fauve serrait ses hanches sveltes tandis que sa chemise blanche ouverte au cou révélait un éclair de peau hâlée parsemée de poils mordorés.

Charlotte sentit une douleur à ses poumons. Que faisait-il ici?

— Willa, ma chère.

Il fit à sa cousine ce grand sourire beau à mourir avant de saluer Hugh et Charlotte, ses yeux vert doré effleurant celle-ci.

— Shellborne. Miss Livingston.

Le visage de Willa s'éclaira.

— Cam, quelle adorable surprise! Quand es-tu arrivé?

— Il y a quelques heures seulement. Je suis parti dès que Hart a signalé des problèmes à l'usine.

Il se rendit au buffet pour remplir une assiette, sa culotte bien ajustée présentant une excellente vue d'un derrière ferme et galbé. Un frisson de désir parcourut Charlotte lorsqu'elle s'aperçut qu'il portait les mêmes bottes d'équitation brunes et légèrement abîmées que lors de leurs promenades d'après-midi en ville.

— Quelle est l'étendue des dommages ? demanda-t-il en s'assoyant devant Charlotte.

— Ils sont plutôt considérables, j'en ai bien peur, dit Hart de son siège à l'extrémité de la table. Quelques-uns des métiers ont subi des dommages sérieux. On me dit que la plupart sont réparables, mais à peine.

Cam fronça les sourcils.

— Que s'est-il produit, exactement ?

— Ils ont défoncé la porte de l'usine avec des marteaux de forgeron. À voir ce qu'il reste, il semble qu'ils aient utilisé des pièces de fer forgé et de bois pour casser les machines.

— Combien de temps faudra-t-il pour réparer les métiers ? demanda Charlotte.

Alors qu'elle parlait, Cam se concentrait sur son petit-déjeuner.

— Il pourrait falloir quelques jours avant que nous puissions reprendre la production complète, dit Hartwell en regardant Cam. Je suppose que nous devrions y retourner demain pour voir l'état des choses.

— Qu'arrive-t-il aux travailleurs pendant que la manufacture est fermée ? demanda Charlotte. Peuvent-ils survivre sans le salaire d'une semaine ?

Pour la première fois depuis son arrivée, Cam lui accorda toute son attention, la coulant avec son regard vert et calme.

— Contrairement à ce que vous croyez, nous ne laisserons pas souffrir nos travailleurs alors qu'ils n'y sont pour rien. Ils continueront de recevoir leur plein salaire jusqu'à ce que nous soyons revenus à une production complète.

La chaleur lécha les lèvres de Charlotte lorsqu'elle entendit cette condamnation. Piquée au vif, elle s'appliqua à avaler une bouchée d'œufs qui, hélas, goûtaient maintenant le papier.

Hartwell lança à Cam un regard réprobateur avant de se tourner vers Charlotte.

— Bien sûr, ils vont travailler au nettoyage et au rétablissement de l'ordre.

Désirant vivement être aussi loin de Cam que possible, Charlotte se leva et se tourna vers Willa.

— Laissons les gentlemen à leurs affaires et allons faire une promenade, d'accord?

• • •

Après avoir terminé le petit-déjeuner et après une nouvelle consultation avec Hart à propos de la manufacture, Cam se dirigea vers les étables pour inspecter Hercule. Dans sa hâte d'arriver à Fairview Park, il avait poussé à bout l'étalon. Il avait également espéré que l'air frais lui rafraîchisse les idées. Revoir Charlotte lui retournait l'esprit. En ville, lorsqu'elle lui avait dit la vérité à propos du cocher, il avait été résolu à l'écarter de ses pensées, mais cela n'avait pas été facile.

Il repensait sans cesse à ce dernier baiser. Il croyait que Charlotte était une femme honorable. Si elle avait un attachement important au garçon d'étable, pourquoi aurait-elle accepté de se laisser courtiser par lui? Dans ce cas, pourquoi lui avait-elle permis de lui donner un baiser et l'avait-elle embrassé à son tour ? Cela ne faisait aucun doute : son corps avait pris plaisir à être touché par lui. L'embrasser avait été non seulement agréable, mais il avait là un fond de vérité. Leur dernier après-midi ensemble, en particulier, lui avait donné un profond sentiment de satisfaction, un sentiment que Charlotte et lui étaient bien assortis.

Avec elle, les choses semblaient se mettre en place. La présence de Charlotte dans sa vie soulageait le malaise qu'il avait ressenti récemment. La fougue de leur relation intellectuelle, ajoutée à une stupéfiante attirance physique, le rendait profondément conscient de ce qui avait manqué dans sa vie.

Alors qu'il s'approchait de l'étable, la voix indignée de Shellborne résonna, venant de l'autre côté de la structure :

— Que diable fait-il ici ?

— C'est le cocher du duc de Hartwell, répondit calmement Charlotte.

Apparemment, il n'était donc pas le seul à ne pas aimer la présence de Fuller à Fairview. Cam s'arrêta net derrière les étables et resta caché en penchant la tête de côté.

— Tu veux me faire croire que son apparition ici est une coïncidence ? dit la voix chevrotante et furieuse de Shellborne. Es-tu devenue folle ?

— Tu n'as pas le droit de me parler de cette manière, répondit-elle d'un ton calme. Je ferai comme il me plaira.

Cam sourit malgré lui. Il admirait sa fougue.

— Il n'en est pas question. Je suis le chef de cette famille, et tu m'as défié.

Caché au coin, Cam vit Shellborne marcher en rond, les mains sur ses larges hanches, tout en fixant le sol.

— Nom d'un chien! Je l'ai renvoyé pour te protéger, dit l'homme en haussant le ton. Pour sauver notre famille du scandale et de la ruine. Et tu l'amènes ici, chez le duc de Hartwell?

— Je l'aime, répondit-elle. Je ne le laisserai pas dans le besoin ni la privation. Nathan est prêt à travailler fort. Il mérite une chance de s'améliorer.

Elle est amoureuse de Fuller. Le cœur de Cam sembla rétrécir et se durcir dans sa poitrine.

Shellborne rougit.

— C'est un serviteur, un bâtard. Tu es la fille d'un gentleman. Pour l'amour de Dieu, Charlotte, fais au moins semblant de savoir reconnaître ton rang!

— Cesse de paraître aussi outrecuidant. N'importe lequel d'entre nous pourrait facilement se trouver dans sa situation, dit Charlotte avec douceur. C'est un pur hasard du destin si tu es baron et lui cocher.

— Balivernes! dit Shellborne en montant le ton. Ce n'était pas un hasard du destin. Toi et moi provenons de générations de savoir-vivre. Il n'est qu'une erreur de classe inférieure et tu fais de toi une proie facile. Réfléchis, Charlotte, réfléchis avant de tous nous ruiner.

Elle se retourna pour partir.

— Tout bien réfléchi, j'en ai assez entendu.

Il lui saisit le bras.

— Ne t'avise pas d'aller vers lui. Je ne te le permettrai pas.

— Hugh, tu me fais mal, dit-elle en essayant de se dégager. Lâche-moi.

La colère de Cam se mit à flamber. Il commença à s'avancer, mais s'arrêta en entendant une troisième voix.

— Lâchez-la, Shellborne.

La voix de Fuller.

— Ne te permets pas de me dire quoi faire, dit Shellborne, le visage déformé par un mépris débridé. Tu n'es qu'un bâtard. Je suis un Shellborne, et elle est sous ma garde.

— Peut-être bien, dit Fuller d'un ton calme tout de même empreint d'une dure nuance d'avertissement. Cependant, je ne permettrai pas qu'on lui fasse mal.

Fuller entra dans le champ de vision de Cam, lui donnant l'occasion de bien évaluer l'homme. Il dépassait d'une tête le frère rondelet de Charlotte, et son doux regard bleu flambait au soleil. Une rage froide, à peine déchaînée, semblait courir à la surface de sa peau. L'homme suintait le danger. Cependant, la présence menaçante de Fuller ne semblait pas intimider Shellborne le moins du monde.

— Si tu savais reconnaître ton rang, Charlotte ne serait pas en difficulté. Par Dieu, je vais m'assurer de voir à ce que tu sois congédié.

— Vous réussirez peut-être. Cela dépendra de monsieur le duc, dit Fuller en s'avançant vers Shellborne. Mais vous allez la lâcher. Maintenant.

Cam apparut.

— Vous voilà, miss Livingston. J'espérais que vous m'accordiez une promenade. Avec votre permission, évidemment, Shellborne.

Le baron lâcha le bras de Charlotte.

— Bien sûr, Camryn.

Il afficha sur son visage rougeaud une placide courtoisie.

— Je vous en prie, c'est une journée adorable pour une promenade.

Du coin de l'œil, Cam vit Fuller se retirer dans les étables, semblable à une ombre. Il offrit son bras à Charlotte.

— Vous venez?

• • •

Alors qu'ils s'éloignaient en silence des étables, Charlotte était intensément consciente du bras chaud et légèrement musclé qu'il y avait sous ses doigts.

— Je crois que votre frère n'approuve pas votre intérêt pour les valets, dit-il lorsqu'ils furent bien loin de Shellborne.

Elle se concentra sur ses pieds, se frayant un chemin entre des renflements du sol.

— Ce que pense Hugh ne m'importe pas.

En levant les yeux, elle trouva ce fin regard vert doré qui scrutait son visage, comme s'il pouvait y trouver des réponses en regardant suffisamment. Tendue, elle demanda :

— Pourquoi me regardez-vous de cette manière?

— Je me demande ce qui vous motive.

— C'est une grande question à laquelle il est impossible de répondre, ne croyez-vous pas? C'est un peu comme demander à quelqu'un le sens de la vie.

— Je pensais à votre attirance envers monsieur Fuller.

— Oh.

— Est-il ce qui motive votre passion ardente à l'égard des classes inférieures? demanda-t-il. Willa me dit que Fuller a grandi avec vous et Shellborne. Votre père a permis à l'enfant d'un domestique d'être éduqué avec ses propres enfants? C'est plutôt inhabituel.

Elle devint mal à l'aise en se disant que Cam s'enquérait de Nathan.

— Oui.

— Est-ce la générosité de votre père envers les classes inférieures qui motive votre intérêt en leur faveur ?

— Mon père n'était pas un défenseur de la classe ouvrière.

L'amertume souleva la poitrine de Charlotte.

— À certains aspects, il était tout à fait le noble pompeux qu'est Hugh.

— Et pourtant, il a permis à Fuller...

— Comme papa avait une affection particulière à l'égard de Nathan, il lui a accordé le privilège de travailler avec notre gouvernante.

D'un geste de la main, elle écarta un insecte bourdonneur.

— S'il avait été un véritable partisan des classes inférieures, il aurait envoyé Nathan à l'école comme il l'a fait avec Hugh.

Les sourcils fauves de Cam se rapprochèrent.

— Bien sûr, vous ne voulez pas dire que votre père aurait dû fournir la même éducation à l'enfant d'une domestique qu'à son propre héritier ?

— Nathan a l'esprit agile. S'il avait fréquenté Eton ou Cambridge, il aurait pu devenir avocat — quelqu'un d'important — plutôt qu'un simple cocher, dit-il en faisant un geste dans l'air. Combien d'autres Nathan y a-t-il, d'après vous ?

Le regard de Cam s'adoucit d'une façon qui serra la gorge de Charlotte.

— Je suis sûr qu'ils sont nombreux, Charlotte.

— Devraient-ils tous être condamnés à une vie de pauvreté et de puanteur parce qu'ils ne sont pas nés de parents privilégiés comme nous ?

— Alors, vous songez à sauver Fuller ? dit-il en rivant son regard sur le sien. Peut-être en l'épousant ?

Elle détourna les yeux. Ses oreilles commençaient à lui démanger.

— Je ne saurais le dire.

— A-t-il fait sa déclaration ? dit-il d'une voix serrée.

S'arrêtant, elle leva les yeux pour voir de la détermination luire dans ses yeux féroces.

— Non.

Une chaude vague de désir la parcourut.

— Il ne l'a pas fait. Et je ne m'y attends pas de sa part. Cependant, nous ressentons un attachement qui m'empêche d'accepter les attentions d'un autre gentleman.

Sa grande main lui prit la joue, le coussinet de son pouce lui caressant la joue.

— Vraiment ?

Elle ferma les yeux et inspira l'effluve masculin de ses mains, cédant momentanément à la sensation de sa peau rugueuse sur la sienne. Avant qu'elle puisse rouvrir les yeux, les lèvres douces et chaudes de Cam frôlaient les siennes.

Au départ, il lui donna de petits baisers doux qui offraient tant de promesses. Il embrassa sa lèvre supérieure. Il pinça puis suça légèrement son autre lèvre, charnue. Avec langueur, il semblait se livrer avec délices au fait de la goûter et de la sentir. Sa langue doucement insistante toucha la commissure de sa bouche.

Le plaisir fit fondre ses jambes en se répandant à travers elle. Des signaux d'avertissement résonnèrent quelque part dans sa tête, mais elle les entendit à peine sous le doux assaut des baisers de Cam. Elle ouvrit la bouche et se laissa pénétrer. Il avait un goût sublime. Sa langue caressait la sienne, l'explorant avec de doux lèchements tremblotants avant de la sucer. La part d'elle qui savait qu'elle devait arrêter écarta sa langue. Il gloussa contre sa bouche, puis sa langue poursuivit l'autre en se battant de façon ludique avec elle. L'excitation s'enroula, chaude et profonde, dans le ventre de Charlotte.

Elle s'abandonna, embrassant Cam à son tour avec un besoin insistant. Il lâcha un bruit guttural d'approbation et rendit le baiser plus profond, fouillant davantage sa bouche, chatouillant et titillant son palais.

Des terminaisons nerveuses qu'elle ne croyait pas posséder prirent vie de façon tonitruante. Soupirant dans la bouche de Cam, elle voulut protester lorsqu'il retira lentement sa langue, lui donnant quelques autres baisers doux et légers avant de se retirer. Prenant encore sa mâchoire entre ses mains, il baissa les yeux vers elle avec des yeux luisants, le soleil brillant sur ses traits ciselés.

— Il serait peut-être opportun de mentionner en ce moment, dit-il d'une voix rauque, que j'ai pleinement l'intention de vous séduire pour vous convaincre de ma façon de penser.

— Hmmm? demanda-t-elle, encore étourdie par les sensations qui chatoyaient en elle. Comment donc?

— Je crains que vous soyez en train de dérober mon cœur. Par conséquent, j'ai l'intention d'utiliser toutes les armes de mon arsenal afin de vous conquérir.

Le sol trembla sous les pieds de Charlotte.

— Dérober votre cœur? dit-elle en reculant. Vous ne devriez pas dire de telles choses.

— Pourquoi pas? dit-il en lui touchant le front avec le sien. Vous estimez la franchise. Je suis franc, à présent.

Il l'embrassa une autre fois, plus doucement, appuyant doucement ses lèvres fermes contre les siennes, la traitant avec une tendresse qui fit gonfler son cœur.

— J'éprouve un attachement ailleurs, dit-elle en s'obligeant à prononcer ces mots. Comme vous le savez bien.

— Ce que je sais, miss Livingston, dit-il en posant une bise au coin de sa bouche qui la fit presque se pâmer, c'est que vous êtes menteuse.

— Êtes-vous en train de me courtiser et de m'insulter à la fois ?

Elle ne put s'empêcher d'apposer une légère bise le long des forts cordons de son cou.

Il grogna de plaisir.

— Absolument. Seulement, vous n'avez pas ce qu'il faut pour mentir de façon convaincante.

— Je suis sûre que je ne sais pas ce que vous voulez dire.

Elle mordilla son cou, goûtant la douceur salée de sa peau chaude.

— Vous êtes une femme honorable qui ne me permettrait pas de telles libertés si votre cœur était réservé.

Elle se retira, revenant avec méfiance à la raison.

— Vraiment ?

— Oui. Et c'est pourquoi j'ai déterminé que vous étiez vraiment une menteuse.

Il parlait d'un ton quelque peu distrait, observant le mouvement de son pouce qui caressait la joue de Charlotte avec la douceur d'une plume.

Incapable de s'arrêter, Charlotte pencha la joue davantage contre la caresse de sa main. Un million de réponses lui traversèrent l'esprit, mais elle n'en exprima aucune, trop distraite par la façon dont son autre main dessinait la naissance de ses cheveux.

— Je suis certain que ce qui se passe entre vous et le cocher n'est pas ce que vous prétendez, dit-il en souriant avec satisfaction. Je me demande si vous me mentez ou si vous vous mentez aussi.

La panique monta en elle. Comment avait-elle pu baisser la garde alors que l'enjeu était si grand, alors que sa négligence menaçait de faire courir un risque à quelqu'un qu'elle aimait ? Elle se retira, le cœur battant lourdement, les oreilles en feu.

— Milord, vous ne savez pas quel genre de femme je suis.

Puis elle ajouta par-dessus son épaule pour qu'il ne voie pas son visage :

— Je vous ai accordé mes faveurs en plus d'une occasion. Vous flattez-vous de vous croire le seul ?

Chapitre 8

$\mathcal{L}$e lendemain matin, Charlotte se trouva en route vers la manufacture de coton. Molly l'accompagnait dans la voiture tandis que Cam et Hartwell étaient à cheval. Hugh était parti et Willa était trop ronde avec son enfant pour faire le voyage, mais elle avait fortement encouragé Charlotte à aller voir elle-même l'usine.

Elle pensait aux usines qu'elle avait visitées dans le passé. Grèves et syndicats étant interdits par la loi, les travailleurs étaient laissés à la merci de leurs employeurs, souvent obligés de travailler 18 heures par jour à des salaires de famine. Elle trouvait difficile de réconcilier les deux images conflictuelles de Cam. Comment l'homme qui ordonnait que ses domestiques soient mieux logés pouvait-il aussi présider à des conditions honteuses en usine?

Ils avancèrent rondement et arrivèrent à la manufacture avant midi. Bien avant que l'usine apparaisse, un grand fracas parvint aux oreilles de Charlotte. De toute évidence, les métiers mécanisés étaient en parfait état de marche. Alors qu'ils s'approchaient de l'édifice, elle examina avec intérêt le grand édifice de pierre. Il comportait un grand nombre de fenêtres qui étaient maintenues ouvertes, et la grande pelouse entourant la structure paraissait propre et bien entretenue.

Hartwell descendit de cheval pour parler à un homme qui sortait en courant de l'édifice pour les accueillir. Intriguée par les bruits provenant de l'usine, Charlotte descendit de voiture. Prenant le bras que Cam lui offrait, elle le laissa la guider à l'intérieur tandis que Molly marchait à leur suite.

Deux longues rangées de métiers à tisser fonctionnaient côte à côte dans la pièce propre et éclairée. Malgré la chaleur, l'air était dégagé, et la température était loin d'être insupportable.

Elle se dégagea de Cam, poussée par la curiosité à s'avancer plus près pour mieux voir. Elle observa un outil plat et étroit, semblable à un bâton, qui, enveloppé de fil, s'activait d'un bout à l'autre du métier. Il faisait la navette dans le sens de la longueur entre les fils de chaîne et les tissait de manière à former un jeu parallèle. Beaucoup d'autres étaient tirés au-dessous et par-dessus le jeu analogue de fibres dans le sens de la longueur en une continuelle harmonie de mouvement.

Cam s'avança derrière elle alors qu'elle observait la scène, fascinée. Elle pointa du doigt l'outil plat, semblable à un bâton, qui allait et venait d'un bout à l'autre de la foule, l'espace vide entre les fils de chaîne.

— C'est une navette. Elle tisse ensemble ces deux jeux de lices, dit-il en parlant d'une voix forte.

Il désigna une rangée de ficelles suspendues à une barre du métier à tisser.

— Chacune comporte un œil à travers lequel le fil est tiré.

Les mouvements précis et mélodiques donnaient un tissu fini qui s'enroulait parfaitement autour d'un épais cylindre.

— Tout cela fonctionne à la vapeur ?

Charlotte devait pratiquement crier pour être entendue malgré les bruits inhospitaliers des bruyantes machines.

— Oui, la vapeur arrive des tuyaux.

Il désigna une tringle suspendue au-dessus des métiers. Ce tuyau parcourait toute la longueur du plancher de l'usine, qui mesurait une douzaine de mètres, au-dessus de l'espace séparant les deux rangées de métiers. Le long de ce tuyau étaient fixées de grandes poulies semblables à des barils, chacune suspendue au-dessus de deux machines.

— Ces poulies distribuent suffisamment de puissance pour deux machines.

Cam pointa du doigt les dispositifs semblables à des barils qui se trouvaient en hauteur. Les épaisses courroies de cuir en rotation autour d'elles étaient également fixées à une roue à dents droites sur le côté des métiers que chacune alimentait.

— Les métiers sont tous propulsés par ces courroies à partir des poulies sur les tuyaux situés là-haut.

Charlotte retint son souffle.

— C'est si rapide et précis !

— Oui. Cela fabrique du tissu à partir du fil plus rapidement que n'importe quel tisserand, dit Cam en élevant la voix, essayant d'être entendu au-dessus du fracas.

Les machines produisaient du tissu à un rythme étonnant. Elle se promena en observant les bruyantes machines qui suivaient les mêmes schémas rythmiques. Molly resta sur place, les yeux écarquillés.

Charlotte s'arrêta à côté du dernier métier mécanisé, à l'extrémité du plancher. Cam la suivit et s'arrêta à côté d'elle, le visage luisant de chaleur malgré les fenêtres ouvertes.

Le visage moite à cause de l'humidité de l'air, Charlotte eut le cœur lourd, son sens de l'émerveillement marqué de tristesse. Semblant sentir son dilemme muet, Cam lui serra fortement la main, et leurs doigts s'entremêlèrent. Là où ils étaient, derrière le dernier métier, leurs mains entrelacées restaient cachées. Elle expira, reconnaissante de la force réconfortante qu'il lui offrait, une ancre solide dans le monde de changement étalé devant elle.

Malgré la chaleur étouffante de la salle, elle frissonna. La douleur oblique de profonde conscience la cingla. Maintenant qu'elle le voyait elle-même, tout cela devenait clair. Les tonitruantes machines étaient un présage d'une nouvelle réalité. L'ancien mode de vie des villages qui parsemaient la campagne anglaise allait bientôt disparaître à jamais. Qu'allaient devenir ces gens ? Il était clair que personne — pas même les tisserands désespérés, dont les compétences développées sur des générations étaient rendues inutiles, ni leurs enfants affamés, ni les luddites en maraude — n'était de taille devant cette vérité merveilleuse et effrayante.

— Alors, maintenant, vous voyez. Nous ne pouvons arrêter le progrès. Il n'était jamais entre nos mains, de toute façon.

La bouche de Cam se rapprocha de l'oreille de Charlotte, sa main serrant encore la sienne alors qu'ils regardaient les éléments de la machine produire des mouvements rapides et précis qu'aucun humain ne pourrait jamais espérer atteindre.

— Ce n'est rien de moins qu'une révolution.

Un moment plus tard, Cam libéra à regret la main de Charlotte et se mit à la recherche de Hartwell afin de discuter de l'industrie du textile. Elle en profita pour flâner par elle-même dans l'usine. Elle fut étonnée de voir le grand nombre de travailleuses et de constater qu'il n'y avait aucun enfant.

— Les femmes sont reconnues pour avoir les doigts plus agiles, dit le superviseur. Elles sont plus rapides et plus méticuleuses.

— Et les hommes? demanda-t-elle. Que font-ils?

— Des tâches qui exigent de plus grandes capacités physiques. Ils déplacent et chargent les rouleaux de tissu. Les hommes réparent également la machinerie lorsqu'il y a des problèmes.

Elle circula, engageant la conversation avec quelques-unes de travailleuses, apprenant que chacune travaillait sur deux métiers qui produisaient 25 mètres de tissu par jour. Charlotte remarqua que beaucoup semblaient avoir au moins une éducation rudimentaire. Propres et bien habillées, elles ne semblaient pas malheureuses.

Plus tard, alors qu'ils finissaient le pique-nique qu'ils avaient apporté de Fairview, elle s'enquit auprès de Cam et de Hartwell à propos des travailleuses. Molly avait dressé le repas dans l'ombre d'un arbre à côté de l'usine.

— Un grand nombre de nos travailleuses sont de jeunes filles célibataires provenant de familles villageoises respectables, dit Cam. Nous avons une pension pour elles.

Charlotte souleva un sourcil.

— Cela ne semble pas du tout respectable.

Hartwell se mit à rire.

— Je vous assure que oui, miss Livingston.

Il se tourna vers Cam.

— Tu devrais aller lui montrer ton projet.

— Son projet? dit Charlotte, dont le regard intrigué passa de Hartwell à Cam.

Souriant, ce dernier se leva et lui offrit son bras.

— Permettez-moi de vous montrer l'avenir, miss Livingston.

Impatiente d'en voir davantage, elle se leva et prit son bras. Elle se retourna pour regarder Molly, qui semblait ne pas savoir si elle allait les suivre.

— Il ne sera pas nécessaire d'avoir un chaperon, dit Cam à Charlotte en désignant Molly. Ce n'est qu'une promenade au grand jour parmi les gens qui travaillent à l'usine. Tout cela est approprié.

En chemin, elle remarqua les sentiers propres et bien délimités qui entouraient l'usine.

— Je dois avouer quelque chose. Le parc est beaucoup plus invitant que ce à quoi je m'attendais.

— Tout cela fait partie de notre plan, dit-il avec une fierté évidente. Je crois que si vous respectez les travailleurs et que vous leur fournissez un cadre décent de vie et de travail, ils seront motivés à rendre l'usine productive et prospère.

Ils contournèrent un fourré d'arbres, laissant apparaître un charmant petit village.

Il désigna une rangée de cottages propres de couleur sable.

— Ceux-ci sont destinés à nos travailleurs qui vivent avec leur famille.

Chacune des habitations de pierre et de chaume semblait avoir son propre jardin garni de fleurs et de légumes.

Quelques-unes étaient de toute évidence encore en construction.

— Nous utilisons la main-d'œuvre locale pour les construire. Ces ouvriers ont également bâti l'usine.

Lorsqu'ils s'arrêtèrent devant un édifice plus grand et bien entretenu, Cam la guida à l'intérieur. Une femme d'âge moyen, l'air affable, les accueillit à la porte.

— Bonjour, madame Mallory, lui dit-il. Je m'excuse de vous déranger. Je voulais montrer votre maison de pension fort bien administrée à mon amie, miss Livingston.

Nettement heureuse de le voir, la femme costaude fit un large sourire.

— Bien sûr, milord. Mais les règles sont les règles. Les gentlemen ne peuvent s'avancer plus loin que le salon — même les gentlemen bien, comme vous.

Il rejeta en arrière sa crinière en désordre, et un grondement de rire parcourut son torse.

— Comme vous pouvez le voir, miss Livingston, les jeunes ladys célibataires sont bien protégées par cette féroce matrone. Aucun chenapan fornicateur ne pourrait contourner madame Mallory.

— Non, en effet, dit la femme à Charlotte. C'est une maison de pension stricte. Aucun homme à l'étage et les normes les plus élevées de comportement pour les filles. Je tiens un endroit respectable, ici.

Charlotte regarda autour d'elle, impressionnée par l'atmosphère propre et invitante. Le salon était une grande pièce nettement destinée aux visites. Il y avait trois zones de repos, chacune comportant son propre sofa et plusieurs fauteuils confortables. Après quelques minutes à échanger des politesses avec madame Mallory, ils prirent congé, faisant une pause pour admirer une église bien entretenue qui semblait être de construction récente.

L'enthousiasme bouillonnait en Charlotte.

— Oh, Cam, c'est renversant! Je ne peux pas croire que vous ayez fait tout cela pour vos travailleurs.

— Ce n'est pas seulement pour eux. C'est également favorable aux affaires pour nous. Lorsque nous avons commencé à construire l'usine, je pensais continuellement qu'il devait y avoir une façon de rendre compatibles les machines et les travailleurs. Contrairement à ce que croient des gens comme les luddites, les deux ne sont pas incompatibles.

Levant les yeux, il inspecta avec une fierté évidente l'église couleur miel pâle. Le soleil illuminait les nobles traits de son visage, ce qui faisait penser à un maître inspectant son domaine.

— Nous pouvons les aider à mener une bonne vie. Nous avons besoin d'une main-d'œuvre satisfaite et motivée.

Ils reprirent leur marche.

— Vous leur avez créé toute une communauté ici, dit-elle avec émerveillement. C'est bien plus que le simple fait de leur offrir du travail.

— C'était notre intention. Ils ont maintenant un véritable enjeu dans le succès de la manufacture. Toute leur vie est littéralement enveloppée à l'intérieur, dit-il en lui offrant de nouveau son bras. Et ma supposition est avérée par notre productivité et nos profits.

Son cœur voleta lorsqu'elle vit les lignes pures de son profil, son nez ferme et son menton fort surmontés par cette chevelure fauve et indisciplinée. Une impression de chaleur s'embrasa dans sa poitrine, se gonflant vers le bas de son ventre.

— Je vous ai rendu un si mauvais service. J'ai présumé le pire à votre égard.

Cam gloussa.

— Ne me dites pas que vous avez déterminé que je ne suis pas tout à fait l'implacable industriel que vous vous imaginiez?

— Vous êtes tellement plus grand.

Il souleva un sourcil interrogateur.

— Beaucoup plus réfléchi et avant-gardiste, dit-elle en contemplant les alentours.

— Peut-être ai-je compris que le fait de vous séduire était autant une entreprise de l'esprit que du corps. Ah, nous y voilà.

Ils s'arrêtèrent devant une nouvelle structure qui paraissait trop grande pour être un cottage.

— Ceci devrait vous être d'un intérêt particulier.

Ils entrèrent dans l'édifice vide, qui sentait la nouvelle construction.

— Il n'est pas encore prêt, mais j'espère l'avoir bientôt en main.

Tout le rez-de-chaussée ne formait qu'une seule grande pièce éclairée. Des fenêtres généreuses parcouraient les deux côtés, laissant entrer la lumière du soleil.

— Qu'est-ce que c'est? demanda Charlotte alors qu'elle glissait sa main du bras de Cam pour marcher et mieux regarder.

— C'est une école, dit Cam.

Les sourcils de Charlotte s'élevèrent de surprise.

— Pour qui ?

— Les enfants des travailleurs, dit-il en ajustant un banc près d'une table. Nous espérons aussi offrir, éventuellement, des cours du soir aux travailleurs qui ne savent pas lire.

— Qu'allez-vous leur demander ?

— Pour l'apprentissage des adultes, nous ne demande-rons rien. Pour leurs enfants, cinq pence pour chaque journée manquée.

Il sourit en voyant le regard confus de Charlotte.

— Tous les travailleurs de l'usine seront obligés d'en-voyer leurs enfants à cette école.

— Qui paiera ?

— L'usine assumera les coûts. Nous avons embauché deux enseignants. Ils vont habiter dans de confortables appartements à l'étage.

Elle resta bouche bée. Cam offrait une éducation gratuite et obligatoire à des enfants de la classe ouvrière, la chose même qu'elle avait défendue dans ses écrits depuis des années.

Des larmes lui embrouillèrent les yeux et lui serrèrent la gorge.

— Oh, Cam, c'est plus que merveilleux !

Elle passa les mains sur la nouvelle bibliothèque en bois, absorbant son riche arôme. Elle imagina les livres qui allaient bientôt remplir les étagères et les élèves dont l'imagination allait s'épanouir ici. Son cœur était prêt à éclater.

— Comment avez-vous eu l'idée de ce concept ?

— Les maisons, l'église, la ville, je les ai d'abord imagi-nées. Mais pour ce qui est de l'éducation obligatoire et sans frais pour la classe ouvrière ?

Un regard à la fois ardent et doux apparut sur le visage de Cam.

— Allons, Charlotte, n'est-ce pas évident? Cet aspect provient entièrement de vous et de vos nobles idées.

Son cœur parut léger dans sa poitrine.

— Mes idées?

Il se mit à rire, faisant scintiller ses dents blanches, et le grondement se répercuta profondément au centre d'elle.

— Dès cette première soirée chez Willa, en ville, lorsque vous m'avez parlé d'une éducation gratuite pour tous. Cela n'a pas pris au départ, mais à mesure que mon projet de village se développait, ce que vous aviez à dire a commencé à me paraître sensé. Puis quand j'ai lu votre essai…

Ses yeux s'arrondirent.

— Vous avez vraiment lu mes essais.

Il fit signe que oui.

— Lorsque j'ai commencé à songer sérieusement à construire une école, je me suis référé à certains de vos essais pour y trouver des indications. Après tout, vous êtes nettement mieux informée que moi à ce sujet.

Charlotte eut le vertige. Elle se rappelait le salon que Willa avait organisé l'année précédente à Hartwell House, alors qu'elle avait défendu l'idée que l'éducation publique puisse renforcer la société. L'occasion marquait aussi la première fois qu'elle avait posé les yeux sur l'incomparable cousin de Willa. Elle avait eu conscience de lui dès l'instant où il était entré dans la pièce, tout plein d'élégance et d'assurance masculine. À l'époque, toutefois, il avait semblé réagir à ses idées avec cynisme. Mais maintenant, il était là, en train de mettre en action ce dont Charlotte n'avait que rêvé jusqu'à présent. Elle était peut-être une penseuse avant-gardiste, mais c'était lui, le véritable progressiste.

— Vous étiez si passionnée dans vos convictions, dit-il en lui prenant le menton dans sa main. Comment pouvais-je ne pas réagir à votre passion ?

La brûlante intensité de ses yeux vert ambre fit mugir son pouls sous sa peau. Elle tendit le bras pour dévorer cette énigme qui pouvait être à la fois impérieuse et étonnamment affable, qui était tellement plus que tout ce qu'elle aurait pu imaginer.

Cam vint chercher ses lèvres presque férocement, poussant sa langue à l'intérieur de sa bouche par touches exigeantes. Ses mains parcoururent son corps en tous sens, la touchant et la pétrissant, la tenant fermement contre sa propre forme solide, leurs corps entremêlés. Ils trébuchèrent contre le mur, esquivant des outils de travail répandus sur le plancher, faisant une danse d'accouplement maladroite, se nourrissant l'un de l'autre tout en se tordant et en se retournant, son dos contre la dure surface puis contre le dos de Cam.

Ses entrailles bouillonnantes, elle se pressa plus fort contre lui et voulut se perdre en lui. Il grogna, la chair brûlante de cet homme palpitant contre elle. Elle gémit en réaction, se pressant davantage contre lui, fusionnant son corps au sien.

— Oh, Seigneur, Charlotte ! dit Cam d'une voix rauque en traînant des baisers chauds et humides le long de son cou. Vous êtes en train de me défaire. Vous me donnez de la difficulté à m'accrocher à la raison.

— Dans ce cas, cessez d'essayer.

À bout de souffle, elle tira sa cravate, impatiente de sentir la peau nue.

Les mains de Cam passèrent sur les côtés du derrière de Charlotte, massant les doux renflements. Lorsque l'air souffla sur ses jambes, elle s'aperçut qu'il avait remonté sa jupe. Il atteignit la douce humidité entre ses jambes. Surprise, Charlotte songea à l'arrêter. Mais alors, Cam la toucha d'une façon qui la fit s'arquer et crier doucement sous l'effet du plaisir pur.

— Vous êtes si agréable au toucher, fredonna-t-il à son oreille, respirant difficilement. Charlotte, Charlotte. Ce que vous me faites…

La caressant et la taquinant des doigts, il ramena ses lèvres à sa bouche.

— Nous pouvons le faire ensemble, vous et moi, dit-il contre sa bouche, plongeant encore pour la goûter. Venez, joignez-vous à moi. Nous pouvons faire de ce village de tisserands un exemple à suivre.

Un ouragan de besoin faisait rage en elle. Son corps lui donnait la sensation d'avancer à toute vitesse vers une destination inconnue alors que ses mots résonnaient dans son esprit. Ils pouvaient le faire ensemble. Quelle équipe ils formeraient !

Elle sortit la chemise de Cam de sa culotte, aplatissant ses seins contre lui tout en passant les mains sous sa chemise pour sentir la chaleur de sa peau. Cam tomba à genoux en un mouvement rapide et gracieux. Remontant sa robe, il accrocha l'une de ses jambes par-dessus son épaule, l'exposant à son regard. Elle se figea lorsqu'une bouffée d'air frais souffla sur sa zone la plus intime.

Quelque chose de doux et d'humide la toucha là où ses doigts avaient passé. Sa langue. Un choc de plaisir se réverbéra à travers elle. Elle tomba contre la bibliothèque, gémissant et se tortillant sous le toucher expert de Cam. L'image de lui debout comme elle le faisait à présent, avec une autre femme sur ses genoux qui lui donnait satisfaction, lui traversa l'esprit. Seulement, cette magnifique et impérieuse bête était à genoux devant elle, offrant ardemment un plaisir indescriptible. Elle se mit à trembler, ne sachant trop comment s'y prendre avec les sensations tourbillonnantes qui se ruaient en elle.

Il sembla comprendre.

— Oui, Charlotte, chantonna-t-il, la baignant encore. Abandonnez-vous pour moi. Cédez au plaisir.

Il intensifia les mouvements de sa langue, ajoutant de douces glissades de ses dents. La pression croissante poussa Charlotte à libérer un cri étranglé d'émerveillement. Des tremblements s'emparèrent d'elle jusqu'à ce que la tension de ses muscles éclatât. La sensuelle euphorie ondula à travers elle en vagues de plaisir chaud et sinueux. Elle flottait béatement sur une mer soudainement calme et baignée de soleil. Lorsqu'elle revint à elle, ses jambes tremblantes s'effondrèrent sur le plancher robuste. Cam se déplaça, l'attirant sur ses cuisses alors qu'il prenait place sur un siège faisant dos au mur.

— Douce Charlotte. Si douce, murmura-t-il en l'enveloppant dans ses bras et en enfonçant son visage contre le côté de son cou. Nous allons former une bonne équipe, vous et moi.

Les sens encore ébranlés, elle se pencha contre sa force chaude. Il serra les bras en une étreinte possessive, offrant un refuge sûr à son corps épuisé.

Nichée contre lui, elle se délecta de la sensation de son cœur tapageur sous sa joue. C'était une véritable erreur que de laisser les choses aller aussi loin avec Cam, mais elle ne pouvait se résoudre à le regretter. Ce qui venait de se passer entre eux allait au-delà de tout ce qu'elle avait envisagé. Elle ferma les yeux, inspirant son odeur, mémorisant la sensation de son corps appuyé contre le sien, s'accrochant à un moment qui ne pouvait durer ni être répété.

Après quelques minutes, elle inspira profondément et s'écarta, ignorant le vif sentiment de perte qu'elle ressentait après avoir quitté la chaleur des bras de Cam. Elle sentit ses yeux sur elle alors qu'elle se relevait et rajustait ses vêtements, s'affairant aux détails, ce qui lui donnait une excuse pour éviter son regard. Se redressant sur ses pieds, il se mit à l'aider à ajuster ses vêtements, mais elle recula.

— Charlotte, j'ai l'intention d'aller rendre visite à votre frère, dit-il alors.

Cam se racla la gorge, semblant prendre son silence pour de la gêne.

— Pour lui demander votre main en mariage.

Il posa sa main sous son menton à elle, l'obligeant doucement à lever le regard vers ses yeux humides et ses traits masculins sculpturaux.

— Si vous voulez bien de moi.

Son cœur à elle s'arrêta.

— Non.

Elle recula, cherchant une distance sécuritaire de son rayonnement perçant.

— Non? répéta-t-il, une expression déroutée dans les yeux.

— Non, je ne vais pas vous épouser.

La poitrine tremblante, elle s'efforça de rendre sa voix ferme.

— Je croyais avoir déjà abondamment clarifié cela.

— C'était avant que vous me permettiez certaines familiarités, dit-il, les yeux remplis d'une féroce émotion. J'ai pris des libertés avec votre personne.

Elle tituba jusqu'à la fenêtre, ce qui plaça la table entre eux deux.

— Allons, c'était un agréable intermède.

Elle s'obligeait à prononcer ces mots malgré l'angoisse qui lui tordait le corps.

— Très semblable à ce que vous appréciez avec madame Fitzharding.

Il se jeta à son côté, saisit son bras et la fit pivoter, ne lui laissant d'autre choix que de lui faire face.

— Ce n'était aucunement ainsi, et vous le savez.

— Je ne sais rien de la sorte.

Se grattant derrière une oreille, elle parlait d'un ton calme, qui donnait une fausse idée de la calamité qu'elle ressentait en elle.

— S'il vous plaît, n'en faites pas une montagne.

— Une montagne? dit-il, ses cordes vocales palpitantes. Dois-je croire que cela ne voulait rien dire pour vous?

S'obligeant à soutenir son regard, elle déforma ses traits en un masque de calme.

— Je suis surprise qu'un gentleman tel que vous en fasse un si grand cas.

La vulnérabilité passa dans le visage de Cam avant que son expression durcisse.

— Dites-moi, le garçon d'étable aura-t-il son visage entre vos jambes, ce soir?

Lorsque Charlotte haleta, troublée, il rapprocha ses lèvres de son oreille.

— Le laisserez-vous vous satisfaire comme je l'ai fait ? Croyez-vous qu'il le puisse ?

— Cessez.

Elle s'efforça d'arrêter le tremblement de sa voix, de l'empêcher de se casser en un million de pièces.

— La réponse à votre proposition est non. Non. Non. Non.

Cam changea de comportement. Il l'approcha avec une froideur rapace et le visage d'une statue.

— Très bien, alors. Comment allons-nous procéder, miss Livingston ? Aurai-je la permission de goûter d'autres agréables intermèdes ? demanda-t-il, la voix dégoulinante de fausse courtoisie. Puis-je m'attendre à trouver le plaisir entre vos délectables cuisses au cours d'un moment volé à l'occasion ?

Ses longs doigts élégants s'avancèrent pour lui titiller le sein à travers ses vêtements, et malgré tout, le corps de Charlotte changea sous la douce et impitoyable nature de son toucher. Des rubans de plaisir flottèrent jusqu'au creux de son ventre, poussant l'endroit sensible entre ses jambes à brûler d'envie de lui encore. Il donna un doux coup de doigt sur la pointe ardente de son sein, sa bouche incurvée avec une brutale satisfaction en constatant l'évidence de l'effet qu'il avait sur elle.

— Votre corps continuera-t-il à dire oui même lorsque votre esprit dira non ?

— Un langage aussi vil et une telle cruauté sont indignes de vous.

Au lieu d'écarter sa main ou de lui donner une gifle bien méritée, elle laissa tomber sa propre main là où la sienne était encore posée sur son sein. Prenant sa main avec ses deux mains, elle la posa sur ses lèvres et posa un tendre baiser à l'intérieur de sa paume.

Il rougit et enleva brusquement sa main comme si elle avait été touchée par le feu. Il lui tourna le dos, et la large charpente de ses épaules trépida.

— Je m'excuse, dit-il en se tournant vers elle, l'angoisse allumant ses yeux et tendant sa voix. Je suis un vaurien de la pire espèce. Comme vous avez eu le malheur de le constater en plus d'une occasion.

Charlotte sourit, sachant qu'elle n'allait plus jamais croire le pire à son sujet.

— Vous êtes loin d'être une crapule, Arthur Stanhope.

D'un geste, elle montra la salle de cours.

— Vous êtes le plus décent et le plus honorable des hommes. La pièce dans laquelle nous nous tenons en est la preuve. Toute lady serait fière de vous appeler son mari.

— Alors, pourquoi me le refusez-vous ?

Son regard scrutateur saisit et retint le sien, l'empêchant de détourner les yeux.

— Malgré vos efforts en vue de faire semblant du contraire, je sais que je ne vous laisse pas indifférente.

— C'est pour le mieux. S'il vous plaît, croyez-moi.

Elle s'obligea à respirer malgré la douleur de ses poumons.

— Il y a des facteurs dont vous n'avez pas connaissance. Des circonstances que je n'ose partager avec vous.

— De quoi s'agit-il, Charlotte ?

S'emparant de sa main, il la tint à deux mains contre sa poitrine.

— Vous êtes-vous compromise avec Fuller ? Si c'est ce qui vous inquiète, ne vous en faites pas davantage. Nous pouvons surmonter cela.

Sa bouche se relâcha.

— Vous pourriez laisser de côté quelque chose d'aussi sérieux que la perte de ma vertu ?

Pendant un moment, il parut incertain, puis un air de féroce détermination traversa son visage.

— C'est ce qu'il faut pour vous conquérir, alors oui. Peu importe ce qu'il faut faire. Venez partager ma vie avec moi, Charlotte. S'il vous plaît.

— Vous ne saurez jamais ce que votre offre a signifié pour moi.

Sa gorge serrée par l'amour qu'elle ressentait pour lui, elle retira doucement sa main de son emprise.

— Si j'étais libre de l'accepter, je le ferais sans hésitation.

Sa mâchoire se serra.

— Ce n'est pas fini.

— Oui, dit-elle d'un ton triste. C'est fini.

Chapitre 9

— C'était inimaginable, dit Charlotte en prenant un autre petit pain à la table du petit-déjeuner. Vraiment à couper le souffle.

Cam observait ses yeux animés qui luisaient d'enthousiasme.

— À couper le souffle, carrément, murmura-t-il de la chaise voisine.

Elle rougit en jetant un regard furtif autour de la table pour s'assurer que personne n'avait entendu.

Son torse se gonflait à la vue de Charlotte. Une autre partie de son corps faisait la même chose lorsqu'il se souvenait de ce qu'il avait goûté et ressenti en se trouvant avec elle, de l'incroyable joie de lui avoir procuré du plaisir. Enfin, voilà une femme qui défiait son intelligence tout en comblant ses sens. Même s'il l'avait laissée tranquille sur le trajet du retour, la veille, il avait encore pleinement l'intention de faire d'elle sa marquise. Et même si la séduction de Charlotte s'avérait beaucoup plus difficile que ce qu'il avait anticipé, il s'attendait tout à fait à un triomphe final.

Il se voyait déjà marié à elle et se plaisait à l'idée qu'elle habite sa vie et son lit pour le reste de ses jours.

— J'aimerais écrire à ce sujet. Tout décrire, dit Charlotte. Le village, l'école.

La contemplant, il s'adossa sur sa chaise.

— Peut-être devriez-vous attendre que l'école soit fonctionnelle.

— Peut-être.

Elle réfléchit à sa suggestion par-dessus le bord de sa tasse de chocolat.

— De cette façon, je pourrai vraiment parler du succès retentissant des enfants.

Le zèle de son amie fit sourire Willa.

— Tu supposes déjà que les enfants réussiront à l'école.

— Comment pourraient-ils ne pas réussir ? dit-elle en sirotant son chocolat avec grand enthousiasme. Les enfants sont faits pour apprendre. Ils absorbent tout, beaucoup plus rapidement que les adultes.

Digby, le majordome, entra dans la salle du petit-déjeuner.

— Votre Grâce, vous avez un visiteur.

Hartwell repoussa sa serviette de table.

— Qui est-ce, Digby ?

— L'agent de police du village, Votre Grâce. Il dit que c'est une affaire urgente.

— L'agent Henley ? demanda Willa en regardant son mari. Que peut-il bien vouloir ?

Hartwell haussa les épaules.

— Fais-le entrer, Digby.

Un homme de taille moyenne entra dans la pièce. Il arborait un certain excès de poids à la taille et un air sérieux au visage.

— Votre Grâce.

— Bonjour, Henley, dit Hart d'un ton amical. Qu'est-ce qui vous amène si tôt ce matin ?

Henley rougit en regardant Willa et Charlotte.

— Peut-être Votre Grâce aimerait-elle parler à l'écart des ladys. Ma nouvelle est d'une nature délicate.

— C'est tout à fait convenable, Henley.

Hartwell lança un regard amusé en voyant l'éclair d'irritation dans les yeux de sa femme.

— Comme ma femme exigera d'entendre la nouvelle dès que vous partirez, il vaut peut-être mieux qu'elle l'entende directement de vous.

— Très bien, Votre Grâce, dit Henley en se raclant la gorge. Les luddites se livrent à une agitation.

— Nous le savons, répondit Hartwell. Le marquis et moi venons d'examiner les dommages causés à notre manufacture près de Manchester.

— Oui, Votre Grâce, dit le constable en bougeant les pieds. Mais je regrette de vous informer qu'il y a eu une série d'attaques au cours des derniers jours, dans le Lancashire et le Derbyshire.

Cam sourcilla.

— Quelle en est l'étendue ?

— Milord, je crains que la menace soit si sérieuse à Nottingham que 120 machines à tricoter ont été détruites ces 15 derniers jours, dit Henley en tordant sa casquette entre ses mains. 300 agents spéciaux ont été affectés à la patrouille dans les usines.

— Je vois. C'est inquiétant, dit Hartwell en se levant. Heureusement, Cam et moi avons déjà posté des gardes armés dans notre usine.

Willa inspira.

— Oh, non, Hart. J'espère que nous n'en viendrons pas à cela.

Pâlissant, Charlotte se leva de table et se rapprocha de la fenêtre.

— Cela ne peut rien donner de bon, dit-il presque pour elle-même. Cela se terminera mal.

— Est-ce tout, Henley? demanda Hart.

— Non, Votre Grâce, dit-il en jetant un autre regard rapide en direction des ladys.

— Parlez ouvertement, Henley. Continuez.

— Votre Grâce, j'ai le triste devoir de vous informer du fait que nous croyons que nul autre que Ned Ludd, le méprisable chef des luddites, se trouve dans les environs.

Henley parlait rapidement et semblait avoir hâte de finir d'annoncer la nouvelle désagréable.

— Il a été repéré il y a à peine une semaine à Northwich.

Cam inspira.

— Ce n'est qu'à une journée de cheval.

Un son angoissé s'échappa de la gorge de Charlotte, ce qui les fit tous regarder dans sa direction près de la fenêtre.

— Que se passe-t-il, miss Livingston?

Il alla vers elle, étonné qu'une personne aussi rationnelle que Charlotte soit aussi affligée par la nouvelle de Henley.

— Il n'y a pas de quoi s'alarmer. Vous êtes plus qu'en sûreté ici.

Elle le regarda avec un air de confusion, puis sembla se rétablir.

— Bien sûr que oui. Seulement…

Elle s'arrêta et le regarda dans les yeux.

— Oh, Cam, des gens vont se faire tuer, murmura-t-elle. On dirait que le pire est en train de se produire.

Le cœur de Cam se serra en voyant l'angoisse dans ses doux yeux bleus. Il ne voulait rien de plus que de prendre Charlotte dans ses bras pour la réconforter. Au lieu de cela, il ne pouvait offrir que des paroles calmantes.

— J'ai reçu ce matin l'annonce d'une directive gouverne-mentale. Nous envoyons 12 000 soldats vers des régions affectées pour étouffer l'agitation.

Il se dépêcha lorsqu'il vit son regard horrifié.

— Non, c'est une bonne chose. Vous devez me faire confiance à ce sujet. Les soulèvements doivent être réprimés rapidement et de façon décisive. Moins de gens seront blessés si la réaction gouvernementale est écrasante et implacable.

Elle opina de la tête, mais la façon dont elle se mordilla la lève inférieure suggérait qu'il ne l'avait pas tout à fait convaincue. Se retirant de nouveau vers la fenêtre, elle devint fort immobile.

• • •

Empressée de voir Nathan, Charlotte se faufila dès qu'elle le put vers les étables. Elle le trouva dans une stalle en train de brosser un magnifique cheval gris. Caressant la robe de l'en-colure de la bête, elle admira sa puissante musculature et son élégant maintien.

— Quelle bête splendide!

— Hartwell l'a achetée chez Tattersall, dit Nathan en brossant les flancs luisants de l'animal. Elle a été livrée de Londres ce matin.

— Sa Grâce, tu veux dire. Nathan, tu dois prendre bien soin de désigner le duc de façon convenable.

La brosse s'immobilisa.

— Il n'est pas ici en ce moment, n'est-ce pas, Charlotte? dit-il d'un ton calme, mais dédaigneux. Il n'y a que toi et moi. Es-tu venue me donner des leçons de maintien ou es-tu venue pour autre chose?

Piquée, elle croisa les bras.

— Depuis quand dois-je avoir une raison de passer du temps en ta compagnie?

— Tu sembles avoir quelque chose en tête, Lottie.

Contournant la monture, il continua de brosser l'animal avec des gestes longs et fermes, de son encolure arquée jusqu'à son arrière-train.

— Pourquoi ne dis-tu pas ce que tu as à dire?

Elle regarda autour d'elle pour s'assurer que personne ne les écoutait et vit qu'ils étaient seuls, à l'exception de quelques valets d'écurie à l'autre extrémité de l'énorme étable.

— L'agent de police est venu nous voir.

— J'en ai entendu parler.

Ses mains masculines et rugueuses glissèrent sur la robe grise de la pâle jument.

— Ce n'est peut-être plus un lieu sûr pour toi. Les luddites se déchaînent, et Cam dit que la Couronne fait appel à 12 000 soldats pour protéger les usines.

Son bras s'arrêta.

— Alors, c'est Cam, maintenant?

Ignorant l'implication, Charlotte se hâta de continuer.

— L'agent dit qu'ils ont raison de croire que Ned Ludd lui-même se trouve dans les environs.

— As-tu aimé ta visite de l'usine de Camryn? On m'a dit que c'est assez impressionnant.

— Il n'y aura pas moyen d'arrêter les machines, Nate. Cela m'a semblé tellement clair. Si tu avais vu…

— Je l'ai vu, Lottie, tu le sais bien.

Son doux regard bleu scruta son visage.

— Je sais aussi que Camryn et toi êtes partis seuls.

Sourcillant, elle s'adossa au garde-fou de la stalle en appuyant les coudes derrière elle.

— Qui t'en a informé?

Nathan n'avait pas conduit la voiture la veille à cause de la livraison prochaine du cheval. L'autre cocher était allé à sa place.

— Tous les sous-cochers font partie de mon personnel, Charlotte. J'entends parler de ce qui se passe.

— Ils n'avaient aucun moyen de le savoir, dit-elle se retroussant sa lèvre. J'imagine que c'est Molly qui t'a livré cette petite information. Je devrais la faire congédier.

— Oui, après tout, tu es la fille d'un baron, dit-il en secouant la tête. Tu devrais faire mettre cette pauvre fille à la porte pour qu'elle n'ait plus aucun endroit où aller. Mais comme elle est belle, je suppose qu'elle peut toujours relever ses jupes pour un shilling.

— Tu n'as pas à être impoli, dit-elle d'un ton abrupt, le visage en feu. Pourquoi t'enquiers-tu du marquis? Il me semble que Molly et toi êtes en termes fort aimables. Peut-être trop.

— Même si c'était le cas, cela ne te regarderait pas du tout, dit-il à voix basse et d'un ton mordant. C'est une servante, après tout, ce qui veut dire qu'elle est de la même classe que moi.

L'indignation de Charlotte monta.

— Pourquoi es-tu si grossier?

La colère éclata dans les yeux bleus de Nathan. Il cessa de brosser la jument et s'avança vers elle.

— Es-tu lasse de te battre pour les pauvres et les assiégés, Charlotte ? Leurs soucis t'ont-ils échappé lorsque ton marquis a posé la main sous ton chemisier ?

Elle le gifla rapidement et avec force, réagissant presque sans même savoir ce qu'elle faisait.

— Comment oses-tu ?

La saisissant d'une poigne de fer, il se pencha en avant, et d'un ton noir de mise en garde, dit :

— Ne fais plus jamais ça. Je ne suis pas ton domestique, Charlotte. Ne l'oublie pas.

— Lâche-la.

Le grondement grave et ferme donna à Charlotte la chair de poule. Elle pivota. Les pieds bottés bien écartés, Cam montra un visage granitique dont chaque ride exprimait une violence crue.

— Lord Camryn, dit Nathan, la bouche tordue par l'audace et le sarcasme.

Il resserra son emprise sur le poignet de Charlotte alors qu'elle tentait de s'en échapper. Elle eut le ventre tordu par l'alarme.

— Il ne me fait pas mal, Cam, dit-elle d'un ton calme et apaisant malgré la peur nerveuse qui lui bouleversait le ventre. C'est un simple malentendu.

— Il ose t'insulter avec insolence.

Ses longs doigts se courbèrent en forme de poings sur ses hanches, et son regard féroce s'immobilisa sur Nathan.

— Et il a encore les mains sur toi.

Charlotte perdit la force de ses jambes. Il avait entendu la grossière insulte de Nathan. Bien sûr, Cam et elle savaient qu'ils étaient allés beaucoup plus loin, la veille, dans la salle de classe.

— Ne sois pas idiot, dit-elle à Nathan d'un ton de désespoir tranquille tout en essayant de dégager son bras. Réfléchis, Nathan, réfléchis.

Un calme froid parut s'emparer de lui. La dégageant abruptement, il pencha insolemment une épaule contre le mur de la stalle. Ses yeux restèrent rivés sur ceux de Cam, encore allumés par un regard de défi criant. Terrifiée à la pensée que l'un des hommes éclate, elle prit position entre les deux.

Se tournant vers Cam, elle posa les mains à plat contre son torse dur et tendu.

— Raccompagnez-moi au manoir, milord. S'il vous plaît Cam maintint son regard froid sur Nathan.

— Présente tes excuses à la lady.

Le rire de Nathan figea le sang de Charlotte. Le pouls furieux de Cam claquait sous ses mains. Elle retourna brusquement son regard de panique vers Nathan, posant sur lui un regard implorant.

Ses yeux se détournèrent rapidement.

— Mes excuses, miss Livingston, finit-il par dire d'une voix blanche.

La fureur semblait tout de même se réverbérer en Cam, comme si un affolant vacarme vociférait encore dans sa tête. Il baissa les yeux vers les mains de Charlotte, encore étalées sur son torse. Elle les retira.

— Bon, c'est fini, dit Charlotte en forçant un ton léger. Venez, Camryn. Le malentendu est complètement dissipé.

Comme il ne bougeait toujours pas, elle passa la main sur son bras tendu. La chaleur la consuma lorsqu'elle sentit les muscles de Cam qui tressaillaient sous son toucher.

— S'il vous plaît, Cam, s'il vous plaît, dit-elle d'un ton doux et intime.

Il pivota sur ses pieds et sortit de l'étable d'un air furieux. Avant de le rejoindre à la hâte, Charlotte lança à Nathan un dernier regard d'avertissement.

— Cam !

Elle courut pour le rattraper, mais elle avait de la difficulté à suivre le rythme de ses pas véhéments.

— Arrêtez-vous, s'il vous plaît, ou du moins, ralentissez avant que je trébuche sur ces fichues jupes.

Il s'arrêta, les mains sur les hanches.

— Qu'est-ce qui se passe, Charlotte ?

— S'il vous plaît, je vous implore de ne pas parler de cela à Hartwell. Nathan pourrait perdre sa position.

— Vous préférez le protéger, même s'il vous a insultée et trompée ? dit-il en dirigeant un rire amer vers le ciel. Je commence à voir pourquoi vous refusez ma cour. De toute évidence, je ne sais absolument pas comment vous traiter avec ce mépris que vous croyez nettement mériter.

— Vous ne comprenez pas.

— Pourquoi le laissez-vous vous traiter ainsi ? Vous sentez-vous coupable parce que vous êtes née au manoir et lui non ? Cela soulage-t-il votre culpabilité de laisser les classes inférieures vous insulter et vous avilir ? dit-il en secouant la tête avec un dégoût évident. Vous n'êtes pas la femme que je croyais.

Charlotte sentit une crampe dans son ventre.

— Vous ne me connaissez pas du tout. Vous ne pouvez pas...

Il poussa un son moqueur.

— Là-dessus, je suis d'accord. La personne que j'ai perçue en vous est la femme la plus intelligente et la plus bienveillante que j'aie eu le plaisir de connaître, une femme éloquente qui est remplie d'une vision d'avenir, qui allume mon sang et qui me coupe le souffle. Une femme qui satisfait toutes mes faims, qui répond aux questions que je ne croyais même pas avoir en mon âme même.

Il crachait les mots comme s'il les trouvait désagréables.

— Pas une femme faible ou craintive qui refuse d'atteindre ses buts. Pas une menteuse. Pas une femme qui tremble devant n'importe quel homme, surtout un domestique.

Le monde de Charlotte tournoya. Elle lui faisait un tel effet?

— Vous ne comprenez pas.

— Non, je ne comprends pas, dit-il d'un ton amer. Et vous ne me l'expliquerez pas, n'est-ce pas?

Ce n'était pas réellement une question. À présent, il savait à quoi s'attendre d'elle. Cam la frôla en marchant d'un pas furieux vers le manoir.

Elle sentit ses yeux se remplir de larmes. Regardant une image floue du guerrier doré qui s'évanouissait dans la lumière de l'après-midi, elle n'avait qu'une envie : se précipiter à sa suite et se jeter dans ses bras, le suppliant de s'attacher à elle à jamais, même si c'était tout à fait impossible.

• • •

Ce soir-là, Charlotte prétexta un mal de tête et prit le dîner dans sa chambre. Sa tête élançait, et elle ne se sentait pas capable d'affronter Cam. Ses paroles résonnaient encore dans son esprit, et son corps mourait d'envie de sentir son toucher. Elle avait envie de faire fi de toute prudence, de s'élancer dans les bras de Cam et de lui faire confiance. Sans cesse, elle rejoua ses paroles dans sa tête. Elle allumait ses sens ? Elle parlait à son âme ? C'était à la fois excitant et renversant de savoir qu'elle lui faisait cet effet. Et impossible. Insondable parce que cela mettait en danger quelqu'un qu'elle aimait et qu'elle ne pouvait en prendre le risque.

Étalée le visage contre le lit, elle sentit son malheur être crevé par un léger coup à la porte de sa chambre. Comme elle s'attendait à voir Molly, elle eut la surprise de trouver à la place Willa, dont le visage parfait était troublé par un regard inquiet.

— Es-tu indisposée ? demanda-t-elle en traversant la pièce.

— J'ai tout gâché.

Elle se retourna sans grâce sur le dos, regardant fixement le baldaquin bourgogne.

— Principalement parce que je suis la menteuse la plus incorrigible.

Willa s'installa soigneusement sur le lit, réussissant tout de même à rester élégante malgré sa taille de plus en plus abondante, et se hissa contre la colonne de lit en bois tourné. Charlotte changea de position et s'étendit à côté de la forme assise de Willa.

— Je savais qu'il se passait quelque chose de mal, dit-elle en tendant le bras vers les cheveux de Charlotte en mouvements doux et réconfortants. Tu ne sembles pas dans ton assiette depuis quelques jours. Veux-tu me dire ce qui te tourmente ?

— Non. C'est à propos de Cam.

Elle ravala les larmes qui formaient des nœuds au fond de sa gorge.

— C'est ton cousin, qui est presque ton frère, vraiment. Cela te mettrait dans une position délicate.

— Chut! dit-elle d'un ton ferme. Comme je suis ton amie, tu dois me laisser t'aider. T'a-t-il traitée de façon haineuse? Dans ce cas, je vais mettre un terme à cela.

— Je voudrais tant qu'il ait été haineux. Cela serait tellement plus facile.

Se sentant réconfortée par les mouvements apaisants des mains de Willa sur ses cheveux, elle soupira.

— C'est le contraire. Il veut m'épouser.

— C'est merveilleux! s'exclama Willa avec un rire ravi. Je savais que vous vous entendriez bien, vous deux. Nous serons cousines.

— Je lui ai exprimé mon refus.

— Quoi?

Son sourire fondit.

— Pourquoi? Tout le monde peut voir que vous êtes fous l'un de l'autre. Même Hart le voit, et il ne remarque rien de ce qui n'est pas relié à l'industrie.

— Ou à toi.

— Charlotte, le mariage à l'homme qui te convient peut être merveilleux. Parfois, j'ai de la difficulté à saisir l'ampleur de la chance que j'ai d'être la femme de Hart. Et maintenant, tu as cette chance avec Cam.

Il était facile de voir à quel point sa belle amie adorait son mari, à quel point le duc et la duchesse étaient bien assortis. Une douleur d'envie lui fit l'effet d'un coup de poignard.

— Comment savais-tu que Hartwell te convenait? Parmi tous tes prétendants et toutes les offres que tu as reçues, comment es-tu arrivée à un choix si judicieux?

— Ce n'était pas tellement difficile, dit Willa en riant doucement. À part les chasseurs de fortune, Hart a été le seul homme à me demander ma main.

Charlotte en resta bouche bée.

— Comment est-ce possible? Tu es aisément la femme la plus belle de Londres. Et tu ne t'es pas mariée avant l'âge de 23 ans. J'ai toujours tenu pour acquis que tu avais refusé d'autres prétendants avant Hartwell.

Willa sourit d'un air contrit.

— C'est une histoire longue et parfois désagréable. Un jour, peut-être, je vais te la raconter en entier. Mais pas maintenant. En ce moment, j'ai fort hâte de savoir pourquoi tu rejetterais l'offre de Cam.

— J'ai des secrets, Willa, bafouilla-t-elle. Des secrets fichus et désastreux à propos de mon frère, qui pourraient être dévastateurs et immensément gênants pour quelqu'un comme Cam, si nous devions nous marier.

Se redressant, elle fit face à l'expression troublée de son amie.

— Tu as toi-même dit que ton cousin acquérait de l'importance à la Chambre des lords. S'il m'épousait et que tout était révélé, il serait ruiné. Sa carrière serait finie et sa réputation, détruite.

— Je suis sans voix, dit Willa en posant une main sur sa gorge, un regard d'incrédulité et d'étonnement gravé dans son visage. Quel terrible secret Shellborne pourrait-il bien avoir?

— J'en ai déjà trop dit.

L'émotion bouillonna dans sa poitrine.

— Mais à présent, tu sais pourquoi je ne pourrai jamais épouser Cam. Il me détesterait à la fin, et je ne pourrais pas supporter cela.

Un froncement gâcha l'espace entre les sourcils parfaitement arqués de Willa.

— Charlotte, il doit y avoir moyen. Peut-être que si tu m'en confiais davantage, nous pourrions trouver une solution convenable.

— Non, dit-elle en secouant la tête de façon catégorique. Il n'y a pas de moyen. J'en ai déjà trop dit.

Après le départ de Willa, Charlotte continua de rejouer leur conversation. Cela avait été un tel soulagement de pouvoir se confier à son amie ! Mais maintenant, ce sentiment de libération faisait place à un sentiment de désespoir. Exprimer ses préoccupations à haute voix les faisait paraître encore plus insurmontables.

Agitée, sans grande envie de rester seule avec ses pensées et s'ennuyant de la présence réconfortante de son amie, elle partit à la recherche de Willa. Déçue de trouver le salon de l'étage vide et sombre, elle descendit l'escalier où une domestique la dirigea vers la terrasse arrière. Elle accéléra le pas dans cette direction, désireuse d'échapper à son humeur de plus en plus sombre.

Son cœur se souleva lorsqu'elle repéra Willa debout sur la terrasse, mais elle s'arrêta de façon abrupte en apercevant également le duc. Hartwell se tenait bien droit, la silhouette sombre. Ses traits taillés au couteau lui donnaient un air intimidant, mais Charlotte eut le souffle coupé en voyant tout son être s'adoucir lorsqu'il regardait Willa.

Une main posée sur le ventre en pleine expansion de sa femme, le duc lui caressa de l'autre la joue. Charlotte n'entendit pas ce qu'il dit, mais Willa poussa un rire guttural et leva vers lui un regard lumineux, plaçant sa propre main sur celle de son mari, qu'il avait posée sur sa joue. Il murmura quelque chose et elle rit de nouveau alors que Hartwell se penchait pour embrasser le cou de sa femme. Le clair de lune jetait une lueur bleuâtre sur les amoureux, les ombres de la nuit dansant autour d'eux à mesure qu'ils bougeaient.

Hartwell prit son temps, glissant les lèvres sur le cou de sa femme jusqu'à la naissance de ses seins. Lorsqu'il revint enfin avec langueur à la nuque de sa femme, Willa le prit dans ses bras et s'empressa de poser ses lèvres sur les siennes. Leur baiser était abondant et doucement passionné, un moment spontané entre mari et femme, une communion exclusive que personne d'autre ne pouvait partager.

En le regardant, Charlotte saisit la différence entre cela et ce qu'elle avait vu entre Cam et Maria Fitzharding dans le jardin, le printemps dernier. Ce geste avait été purement physique et tout à fait dépourvu d'intimité. Il semblait vide et insignifiant, comparé à la grâce robuste de la démonstration d'amour mutuel entre Willa et Hartwell. Le caractère exquis et inattendu du moment lui fit ressentir une douleur au cœur. Qu'est-ce que c'était que d'être aimé aussi complètement par un homme ?

— Elle est tout pour lui.

Le doux timbre de la voix de Cam se réverbéra en elle, la chaleur de son corps derrière elle rayonnant sur sa nuque et son dos.

— Oui.

Elle regarda fixement Harwell et Willa, qui, dans une douce étreinte, se murmuraient des choses l'un à l'autre.

— Il s'est battu pour elle. Le saviez-vous ?

Ces paroles basses et profondes lui firent l'effet du velours.

— Ils ont failli se perdre parce qu'un autre homme a été obsédé par elle pendant des années.

Elle ne le savait pas. Willa était mariée depuis quelques mois lorsque Charlotte avait fait sa connaissance. Peut-être son amie y avait-elle vaguement fait référence durant leur conversation de la soirée. Il vint à l'esprit de Charlotte qu'elle aimerait un jour entendre l'histoire.

Elle resta figée où elle était. Même si Cam ne la touchait pas, il restait suffisamment près pour qu'elle soit enveloppée par sa masculinité musquée.

— Hartwell a écrasé cet homme. Il l'a complètement ruiné.

L'étreinte du couple prit fin, et le duc prit la main de sa femme pour la guider vers l'intérieur. Ils disparurent en entrant dans le manoir, ne sachant toujours pas qu'ils étaient observés, et leurs doux rires et murmures devinrent de plus en plus faibles. La chaleur du souffle de Cam lui frôla la joue, sa voix si faible que c'était presque un murmure.

— Vous battriez-vous pour l'amour, Charlotte? Quel qu'en soit le prix?

Sa poitrine retomba, douloureusement vide.

— Je ne sais pas.

Bien sûr, elle l'avait déjà fait. Pas seulement de la façon dont il l'entendait.

— Et vous?

Son visage parcourut le cou dénudé de Charlotte. La chaleur de ses lèvres et la rugosité de la peau de sa joue glissèrent sur sa peau sensible. Il inspira, comme pour savourer son essence.

— Je le ferais, vous savez. Je ne me contenterais pas de me battre. Je grifferais et j'écorcherais. Apparemment, je subirais une humiliation inouïe. Pour vous.

Une larme glissa sur la joue de Charlotte. Fermant les yeux pour écarter la douleur, elle murmura :

— Non. Arrêtez, s'il vous plaît.

— Je m'aperçois, dit-il d'une voix fatiguée, ses lèvres encore posées contre son cou, que je ne peux m'arrêter.

Il lui embrassa le cou et s'y attarda, comme si c'était le seul endroit du monde digne de son attention.

Son corps bondit de plaisir physique. Elle secoua la tête, et un sanglot s'échappa de sa gorge.

— C'est impossible.

Posant ses grandes mains sur ses épaules, il la retourna vers lui, son visage intense se trouvant à quelques centimètres du sien.

— Dites-moi pourquoi, demanda-t-il d'un ton féroce. Dites-moi.

Elle entendit l'urgence dans sa voix et voulut y répondre, mais elle ne le pouvait pas.

— Il y a quelqu'un d'autre.

— Menteuse.

Les larmes continuèrent de couler. Elle renonça à vouloir les arrêter.

— Il y a quelqu'un d'autre.

Les yeux de Cam se voilèrent.

— Menteuse, dit-il doucement.

Il ne fit aucun effort pour l'arrêter lorsqu'elle s'écarta de lui et retourna en courant vers sa chambre.

• • •

Elle était debout dans la salle de classe, en train de regarder les enfants rieurs se précipiter au-dehors pour jouer. Charlotte essayait de les suivre, mais elle ne pouvait trouver la porte. Elle frappait désespérément sur les murs et se demandait pourquoi personne ne semblait l'entendre.

Elle jeta un coup d'œil par la fenêtre, apercevant Cam qui venait accueillir les enfants. Ses yeux d'un vert doré luisaient lorsqu'il sourit, ce qui les amenait à jouer. Les enfants s'entassaient autour de Cam, et leurs heureux cris et leur bavardage agité lui parvenaient par bribes. Elle tenta de leur crier quelque chose, mais ne put trouver sa voix. Déterminée à trouver une sortie, Charlotte refoula des larmes de frustration de colère.

Les coups devinrent plus forts, ce qui la rendit confuse, puisqu'elle arrêta de frapper les murs de ses poings. Cam semblait entendre le bruit. Encore entouré d'enfants, il s'arrêta et jeta un regard vers Charlotte, les yeux luisant en la reconnaissant. Souriant, il tendit la main et cria son nom.

— Charlotte! Charlotte!

Elle ouvrit les yeux, s'efforçant de répondre alors que le brouillard entre le sommeil profond et la veille brumeuse commençait à se dissiper. Il lui fallut un moment pour s'apercevoir qu'elle était allongée dans sa chambre avec la forme d'un homme de grande taille debout au pied du lit. Elle cligna des yeux en essayant de dégager sa vue et vit Cam.

Le souci allumait ses yeux.

— Charlotte, que diable s'est-il passé? Vous m'avez fait tellement peur.

Il expira, fourrant ses deux mains dans sa chevelure ébouriffée.

— Pourquoi n'avez-vous pas répondu lorsque je frappais à votre porte?

— Je dormais.

Encore sonnée, elle se redressa avec un bâillement.

— Je n'avais pas envisagé de recevoir des visiteurs.

Le regard de Cam s'abaissa vers le frétillement de ses seins libérés sous sa fine robe de coton. Rougissant, il baissa immédiatement le regard et se détourna, mais pas avant que la bouffée de chaleur du désir dans ses yeux attise celui de Charlotte.

Pas tout à fait réveillée, elle tendit le bras vers la robe de chambre près du pied de son lit.

— Que faites-vous ici ?

Molly apparut dans le chambranle, en vêtements de nuit.

— Miss, est-ce que tout va bien ?

Hors d'haleine, elle lança un regard vers Cam.

— Oh, milord, vous l'avez trouvée.

— Il m'a trouvée ? Que se passe-t-il, Camryn ?

Mettant sa robe de chambre, elle lança un regard vers la fenêtre obscure.

— Quelle heure est-il ? Que faites-vous dans ma chambre à coucher ?

Cam fit un signe de tête en direction de Molly, le dos encore tourné vers Charlotte.

— Veuillez informer Sa Grâce que miss Livingston est indemne et paisible.

Molly acquiesça de la tête et se pressa en direction de l'escalier.

— Que se passe-t-il ? demanda-t-elle, le ventre renversé par l'alerte. Vous m'avez fait peur.

Lorsqu'il se retourna vers elle, elle remarqua pour la première fois sa petite tenue. Sa chemise de lin blanc pendait lâchement sur une culotte qu'il semblait avoir mise à la hâte. Des poils couleur fauve parsemaient la forte étendue de son torse dénudée par son col ouvert. Sa culotte blanche et ajustée semblait souligner chaque courbe fine et dure de son corps. Quant à ses pieds et au bas de ses jambes, ils étaient nus.

Elle avait l'eau à la bouche. À part son père et son frère, elle n'avait jamais vu les mollets nus d'un homme. Les siens étaient arrondis, musculeux et parsemés des mêmes poils drus qui ornaient sa gorge. Ses pieds fortement ambrés étaient lisses, avec des orteils longs et élégants surmontés d'ongles propres et bien taillés.

— Il y avait un intrus, dit-il. Il s'est rendu à l'étage avant que l'un des valets de pied le voie.

Elle se serra dans sa robe de chambre.

— Quelqu'un est entré?

Elle frissonna à la pensée qu'un inconnu épie devant sa porte déverrouillée.

— Il s'est échappé, hélas.

Nettement agité, Cam fit le tour de la chambre à pas lourds, passant à son vestiaire séparé pour le balayer du regard.

— Hartwell a demandé au personnel de mener une recherche de la maison et du terrain. Nous venons nous assurer qu'il n'y avait qu'un seul intrus et qu'il est bel et bien parti.

— Quelqu'un a-t-il été blessé? Willa?

— Non, non. Elle va bien. Jusqu'ici, il semble que le personnel soit aussi indemne et que nous n'ayons oublié personne.

Il parcourut la chambre, vérifiant les fenêtres et observant la porte donnant sur le petit balcon, qu'elle avait laissée légèrement entrouverte.

— Charlotte, il n'est pas sûr de laisser cette porte ouverte et déverrouillée.

— J'ai voulu avoir un peu d'air frais, répondit-elle, les pensées ailleurs. Qui pourrait-ce être, d'après vous, Cam? Que veut-on?

Il arpenta la pièce. S'arrêtant les mains sur les hanches, il lui fit face avec un regard sombre.

— Il pourrait s'agir de luddites. Nous ne pouvons en exclure la possibilité.

Posant la main sur sa bouche, elle s'assit sur son lit.

— Oh, non. J'espère que nous n'en sommes pas là.

Elle leva les yeux vers lui, considérant les sinistres implications.

— Entre sans permission sur le domaine d'un duc, menacer sa famille…

Un sourd fracas résonna à son balcon.

Elle sursauta alors que Nathan entrait dans sa chambre par la porte du balcon. Son regard bleu passa d'elle à Cam et s'amenuisa lorsqu'il vit un autre homme dans sa chambre.

— Bon sang, qu'est-ce qu'il…?

La rage colora le visage de Cam. Avec un furieux rugissement, il bondit sur Nathan, atterrissant bruyamment sur l'homme, le rouant de coups dans une violente furie.

Nathan s'en prit aussi à Cam, dégageant la colère refoulée qui, Charlotte le savait, s'était accumulée pendant des années. Les deux hommes se frappèrent avec une brutale férocité, lançant des coups à l'aveuglette et spontanés, alimentés autant par la colère que par la surprise.

— Arrêtez!

En panique, Charlotte évita les coups lancés au hasard tout en essayant de séparer les deux hommes.

— Arrêtez avant de vous entretuer !

Les hommes tombèrent au plancher, roulant ensemble en une violente étreinte, martelant les meubles et renversant une petite table qui s'effondra avec fracas.

— Arrêtez, Cam ! Nathan ! Arrêtez tout de suite.

Elle pâlit en voyant du sang, ne sachant à qui il appartenait.

— Bon sang, Cam ! Ne faites pas l'idiot. Arrêtez tout cela avant de vous entretuer. Nathan Fuller n'est pas mon amoureux. C'est mon frère !

Chapitre 10

Il fallut un moment pour que les paroles pénètrent le brouillard de furie de Cam. Il avait longtemps désiré rouer de coups l'homme qui l'avait séparé de Charlotte.

Ce n'était pas son amoureux. C'était son frère.

L'allégresse lui gonfla la poitrine. Donnant à Fuller une dernière poussée, il roula au plancher pour prendre une position assise, les jambes fléchies étalées devant lui, les pieds posés à plat au plancher.

— Que diable voulez-vous dire ?

— Mon frère, dit-elle d'un ton de lasse résignation tout en s'effondrant sur le lit.

Il la regarda fixement.

— Comment est-ce possible ?

— Êtes-vous cinglé ?

En saisissant un fauteuil à proximité, Fuller se redressa avec effort, levant la main pour évaluer avec précaution son nez ensanglanté.

— Ce n'est possible que d'une façon. Je suis le bâtard de son père, ajouta-t-il en inspirant durement. Est-ce assez clair, même pour vous ?

Cam scruta Fuller, appréciant pour la première fois ses yeux bleu clair et sa longue silhouette mince, qui lui semblaient maintenant familiers. Tellement semblable à sa sœur. Il se sentait ridicule. S'il s'était donné la peine de regarder, de vraiment regarder, il aurait découvert la vérité, qui s'était toujours trouvée en plein devant lui. Physiquement, Fuller ressemblait à sœur beaucoup plus que Shellborne, plus court et plus rond. À présent, la manière cultivée de Fuller prenait une allure cohérente. Il était né d'un baron.

— Cela explique pourquoi vous n'avez pas l'apparence d'un serviteur, dit-il en touchant avec précaution sa propre lèvre endolorie. Si vous avez été reconnu et que votre père a jugé bon de vous faire éduquer, pourquoi diable êtes-vous domestique ?

— Mon père ne m'a pas reconnu, dit-il en courbant les lèvres. Il a permis que je sois éduqué avec une gouvernante, mais sans plus. Tout le monde au manoir Shellborne a accepté le fait que j'étais sa progéniture. Mais il est mort sans prendre aucune disposition à l'égard de son fils bâtard, dit Fuller en plissant les yeux. Maintenant que nous avons réglé cela, peut-être voudriez-vous m'expliquer ce que vous faites en petite tenue dans la chambre à coucher de ma sœur ?

Avec effort, Cam se souleva du plancher sans toutefois manquer le regard menaçant de Fuller.

— Il y avait un intrus au manoir. Je suis venu assurer la sécurité et le bien-être de Char… euh… de votre sœur.

Fuller fronça les sourcils.

— Un intrus ?

— Toi aussi, tu as des explications à fournir, dit Charlotte à son frère. Pourquoi te faufiles-tu dans ma chambre en pleine nuit ?

Cam se retourna vivement vers elle, étonné par le son de sa voix. Il avait presque oublié sa présence. L'emballement de la soirée brillait dans ses yeux rayonnants, ce qui contrastait avec la couleur plus intense de ses joues. Son mince peignoir collait aux contours fluides de sa douce poitrine et au subtil évasement de ses hanches, et il ne laissait rien à l'imagination.

Heureusement, elle ne portait pas de bonnet de nuit. Ses tresses soyeuses et droites tombaient lâchement sur ses épaules et descendaient au creux de son dos comme un rideau de satin. Les boucles couleur cannelle étaient beaucoup plus longues que ce à quoi il s'attendait. Les mèches luisantes s'étalaient sur son derrière d'une exquise rondeur. Une chaleur s'accumula entre les jambes de Cam.

Heureusement, Fuller et sa sœur étaient concentrés l'un sur l'autre. Une expression penaude remplaça la contenance habituellement sombre de Fuller.

— Je suis venu m'excuser pour mon comportement grossier, plus tôt dans la journée, dans l'étable.

Elle croisa les bras, et ce mouvement hissa et secoua légèrement ses seins, ce qui mit l'eau à la bouche de Cam.

— C'était indigne de ta part.

Un léger sourire courba les lèvres maussades de Fuller.

— Oui. Et sachant à quel point tu es entêtée, je me suis dit que si je n'allais pas te voir, tu ne viendrais pas à l'étable — peut-être pendant des semaines — afin de me punir pour mon comportement rustre.

Il se tut, regardant vers la porte ouverte alors que le bruit de pas lourds et résolus s'approchait dans le corridor. Fuller pivota et bondit par les portes du balcon alors même que

Hart apparaissait dans l'embrasure de la porte. Cam s'avança vers le duc, tentant de dérober à ses yeux la sortie de Fuller.

Hartwell leva le front à la vue de l'allure débraillée de Cam et de sa lèvre ensanglantée.

— Vous allez bien, miss Livingston?

— Oui, Votre Grâce.

Les joues couvertes de taches rouge vif, Charlotte resserra son peignoir sur ses adorables courbes.

— Assez bien. Merci.

De son regard sombre, le duc balaya la chambre, et son inspection s'arrêta momentanément à la table renversée avant de se poser carrément sur Cam.

— Que t'est-il arrivé?

Il parlait par-dessus l'arête de son nez, sa manière hautaine et autoritaire rappelant à tous son statut ducal.

— Si j'ose le demander.

Seulement, bien sûr, c'était davantage un ordre qu'une question.

— J'ai bien peur d'avoir trébuché quand je suis venu jeter un œil sur miss Livingston. Dans l'obscurité, tu comprends, dit Cam en haussant une épaule. C'était terriblement maladroit de ma part.

Se mordant la lèvre, Charlotte regarda le plancher, clairement embarrassée par cette mince excuse. D'accord, ce n'était pas le mensonge le plus gracieux, mais il l'avait trouvé rapidement.

Hart plissa les yeux, son regard bondissant entre Cam et Charlotte.

— Je vois, finit-il par dire d'un ton qui suggérait qu'il ne croyait pas un seul mot de cette histoire maladroite. Êtes-vous certaine d'être indemne, miss Livingston?

— Oui, bien sûr, certes, dit-elle en tirant doucement le lobe de son oreille gauche.

Elle était vraiment la pire des menteuses. Cam savait à quoi ressemblait la scène. Son apparence négligée et sa lèvre gonflée évoquaient le fait qu'elle avait dû se défendre contre ses avances importunes. Cette pensée suscita un large sourire sur son visage.

Les sourcils du duc semblaient arqués en permanence.

— Je n'arrive pas à voir ce que tu trouves si amusant, Camryn.

Cam se contenta de hausser les épaules et d'épousseter ses vêtements. Charlotte grimaça.

— Je vous assure, Votre Grâce, que tout va bien.

Les yeux bleu nuit de Hart la contemplèrent pensivement pendant un long moment silencieux.

— Je suis ravi de l'entendre, dit-il en lançant un regard perçant à Cam, qui réagit par un sourire négligent. Je serais fort mécontent si miss Livingston ressentait la moindre détresse pendant son séjour sous mon toit.

Ramenant toute son attention vers Charlotte, le duc dit :

— Des valets de pied seront placés le long du corridor pour le reste de la soirée. Soyez assurée que personne ne pourra entrer dans votre chambre sans être arrêté.

— Merci, prononça-t-elle d'une petite voix aiguë.

— Je vous souhaite bonne nuit, miss Livingston, dit Hartwell en se retournant pour partir. Camryn, venez me rejoindre pour un brandy dans mon bureau.

C'était un ordre ducal plutôt qu'une invitation amicale, mais Cam ne craignait aucunement son vieil ami, même dans son attitude la plus impérieuse.

En s'étirant et en bâillant de façon exagérée, il dit :

— En fait, je crois que je vais aller me coucher. Cette soirée a été fort épuisante.

Il s'inclina ensuite vers Charlotte sans faire l'effort de modérer son large sourire.

— Bonne nuit, miss Livingston. J'espère que vous dormirez bien. Pour ma part, j'en suis assuré.

• • •

La pluie accueillit la matinée, jetant le manoir Fairview dans une douce brume que Cam remarqua à peine lorsqu'il entra d'un pas nonchalant dans la salle à petit-déjeuner. Hartwell était assis seul à l'extrémité d'une longue table d'acajou, ruminant au-dessus d'une tasse de café.

— Bonjour.

Embrassant du regard la nourriture étalée sur le buffet, il empila dans son assiette œufs cuits au four, gâteaux au jambon, tourtes aux rognons, petits gâteaux sucrés et petits pains chauds avant de s'installer à la table. Scrutant le visage ténébreux de son vieil ami, il demanda :

— Pourquoi donc es-tu si sombre, Hart ?

— Peut-être parce qu'un intrus inconnu est entré par effraction chez moi, hier soir.

Le duc se pencha vers la table, appuyant son menton dans sa main tout en concentrant son regard bleu-noir sur Cam.

— Tu es extrêmement joyeux, aujourd'hui.

— Et pourquoi pas ?

Il prit une grosse bouchée d'œufs cuits au four et tendit la main vers son café.

— C'est une journée magnifique.

— Si on préfère le temps humide et pluvieux.

Il regarda longuement par la fenêtre, et ses sourcils se soulevèrent brusquement lorsqu'il observa des rigoles d'eau collées à la fenêtre.

— Tiens, c'est drôle. Je n'avais pas remarqué.

Hart mesura du regard la généreuse portion de nourriture dans l'assiette de Cam.

— Puis-je te demander ce qui inspire ton désir de nourriture ce matin?

— Je me sens affreusement proche des fers, mon ami, dit-il en souriant, puis il se pencha en avant en pointant de sa fourchette. Considère cela comme le dernier repas d'un condamné.

Il s'esclaffa de sa propre blague.

D'un mouvement de la main, Hartwell écarta les deux valets de pied de la pièce. La porte se referma derrière eux, ce qui laissa Cam seul avec le duc.

— Toi et miss Livingston, je présume?

— Ta présomption est juste.

— Dois-je comprendre que vous en êtes venus à une entente hier soir?

— Pas précisément, dit Cam avant de prendre une autre bouche. Cependant, je vais la convaincre.

Hart fit un rictus moqueur.

— Comment comptes-tu le faire, exactement? dit-il en observant la lèvre gonflée de Cam. Ce que nous indique la soirée d'hier, c'est que tu ne survivras pas à un autre effort en vue de la persuader.

— Elle va changer d'idée. J'y verrai sans délai.

Le visage de Harwell s'assombrit.

— Écoute-moi bien. Je ne permettrai pas que miss Livingston soit soumise à des avances malvenues. C'est une invitée dans ma maison. Si tu oses la compromettre…

— Alors, je serai obligé de l'épouser. Exactement !

Cam s'adossa sur sa chaise, savourant un accès de triomphe.

— Et bien sûr, nous devrons le faire sans délai.

Se croisant les bras, Hartwell s'appuya contre le dossier en bois sculpté de sa chaise.

— Tu as l'intention de faire la cour à miss Livingston en la compromettant pour qu'elle t'épouse ?

— Brillant, n'est-ce pas ? Quoique je préfère le terme « séduction ». Quand tu m'as surpris dans sa chambre, il m'est venu à l'esprit que j'avais négligé la façon la plus évidente d'épouser Charlotte.

La compromettre publiquement lui permettrait d'atteindre ses buts aussi aisément qu'une séduction en privé — et peut-être même encore plus.

— D'ailleurs, il ne s'est rien passé d'inconvenant hier soir. Mais si je parviens à mes fins, ce sera bientôt le cas.

— Tu as l'intention de compromettre à dessein miss Livingston afin de l'amener dans ton lit nuptial, dit Hart en secouant la tête. Tu es conscient d'être un marquis, n'est-ce pas ? Tu n'as pas du tout à recourir à la ruse pour attirer une femme.

— Pourquoi pas ? dit Cam en ramassant le dernier morceau d'œuf avec sa fourchette. Cela a fonctionné pour toi, et tu es un duc.

Hartwell grimaça.

— C'est différent.

— Comment donc ? dit Cam avant d'avaler sa nourriture. Tu as compromis ma cousine. Je t'ai attrapé. Tu as été obligé de l'épouser. Je suggère tout simplement un scénario semblable pour accélérer ma cour.

Le duc se raidit.

— Contrairement à ce que tu évoques, les circonstances entourant mes fiançailles étaient effectivement accidentelles. Et je n'étais pas obligé d'épouser Willa. J'ai fait ce qu'il y avait d'honorable et je lui ai proposé le mariage.

— Oui. Si ma mémoire est bonne, c'était cela ou un duel avec moi, et nous savons tous les deux que je suis meilleur tireur. Alors, vraiment, quel choix avais-tu ?

— Oui, Dieu merci, dit Hartwell en riant doucement. Il n'y avait aucun choix possible.

— De toute façon, nous n'en viendrons peut-être pas à ce point, dit Cam en s'étirant, tendant bien haut ses bras en l'air. Je crois que ce qui s'est passé hier soir a modifié la situation entre miss Livingston et moi.

— Comment donc ?

— C'est compliqué. Disons seulement que la situation a changé entre miss Livingston et moi. J'ai une raison d'espérer, dit-il en regardant impatiemment vers la porte. Les ladys sont certainement lentes à venir, ce matin.

Hartwell se leva en écartant sa serviette de table.

— Ma femme reste au lit. Elle est fatiguée après les derniers événements. J'ai une rencontre avec mon intendant pour discuter de mesures de sécurité après l'intrusion d'hier soir.

Il se dirigea vers les portes de la salle à petit-déjeuner.

— Miss Livingston a déjà pris son repas du matin.

— Quoi ? dit Cam en bondissant sur ses pieds. Pourquoi ne me l'as-tu pas dit ?

— Je viens de le faire.

Il suivit Hartwell dans le corridor.

— Je me demande où elle est.

— Je crois qu'elle a mentionné un détour par les galeries au-dessus de l'escalier, répondit Hartwell en disparaissant en direction de son bureau.

Impatient de voir Charlotte, Cam monta les marches deux à deux, à grands bonds.

Fairview était un domaine opulent à tous points de vue, et la généreuse galerie garnie de boiseries, avec ses plafonds de stuc, ses faux dômes et ses fenêtres aux arcs élevés, n'y faisait pas exception. C'était la pièce la plus longue de manoir, et elle parcourait l'entière largeur de la maison. Ses murs étaient garnis de tapisseries belges entremêlées de portraits ancestraux des précédents ducs de Hartwell. Willa se promenait souvent dans la galerie lorsque le temps inclément l'empêchait de faire sa promenade quotidienne dans les jardins. Charlotte semblait avoir adopté la même habitude.

Un éclat de chaleur remplit le corps de Cam lorsqu'il la trouva en train de marcher d'un pas décidé à travers les galeries. Sa simple robe matinale couleur mousse faisait ressortir le bleu de ses yeux incandescents, les doux replis s'accrochant à la courbe attirante de ses seins avant de tomber tout droit, sautant le reste de ses courbes tranquilles. Ses cheveux, qu'il savait maintenant longs et soyeux, véritable triomphe, étaient remontés, laissant seulement quelques vrilles douces retomber sur sa nuque mince et élégante et ses délicates épaules.

À sa vue, son pouls se mit à battre. Il était continuellement surpris par sa réaction face à elle. Il y avait des femmes beaucoup plus jolies, mais aucune ne lui réchauffait les sangs autant que Charlotte.

Il marcha à côté d'elle, au même pas.

— Miss Livingston, puis-je me joindre à vous ?

Elle lui accorda un sourire prudent.

— Bien sûr.

— Et comment allez-vous, ce matin ?

Elle ralentit le pas.

— Je vous dois des excuses.

— Pourquoi donc ?

— Parce que je n'ai pas été sincère à propos de la nature de ma relation avec Nathan, dit-elle, puis elle s'arrêta pour lui faire face. J'ai déguisé ma pensée avec vous. Bien sûr, vous le saviez déjà, puisque je ne sais pas bien mentir.

— En effet, convint-il, laissant ses yeux parcourir son corps de façon appréciative. Êtes-vous consciente du fait que vous vous grattez les oreilles lorsque vous mentez ?

Elle écarquilla les yeux.

— Je ne fais rien de tel.

— En effet, vous le faites. Vous vous grattez derrière l'oreille, vous tirez légèrement le lobe. Vous vous trahissez chaque fois que vous tergiversez.

Elle leva les yeux au ciel.

— Je suis véritablement sans espoir.

Il posa doucement une main sur son bras.

— Voudriez-vous partager avec moi ce qui s'est passé avec votre frère ? Comment votre père — ou Shellborne, d'ailleurs — a-t-il permis qu'on en arrive à cette situation ?

La douleur envahit son visage.

— Vous connaissez les circonstances entourant sa naissance.

— Bien entendu, mais ce n'est certainement pas inhabituel.

Il grimaça. Les bâtards n'étaient pas un sujet dont on discutait généralement avec des ladys de qualité.

— Beaucoup de gentlemen élèvent leurs… euh… enfants adultérins avec leur progéniture légitime, ajouta-t-il. Sinon, ils sont obligés par devoir de subvenir à leurs besoins.

— Mon père n'a pas fait tout ce qu'il aurait dû pour Nathan, dit-elle en serrant les lèvres. Il aurait dû être éduqué de façon à vivre une vie plus respectable : avocat ou peut-être notaire.

Cam fronça les sourcils.

— Fuller a dit hier soir que votre père l'avait accepté à défaut de le reconnaître.

Alors qu'ils marchaient, Charlotte lui raconta l'histoire entière. Son père était tombé amoureux de la fille du majordome, mais c'était seulement après s'être marié à la mère de Charlotte qu'il avait appris que l'autre femme portait son enfant. Il avait donc arrangé son mariage avec un forgeron de l'endroit, Tom Fuller, un ouvrier honnête qui avait longtemps été amoureux d'Elizabeth et qui avait accepté d'élever son enfant comme si c'était le sien.

Lorsque Nathan avait eu six ans, le baron l'avait invité à habiter au manoir Shellborne, où il avait partagé leurs leçons avec la gouvernante. Mais la mère de Charlotte avait été contrariée par ce traitement préférentiel, et lorsque Hugh était parti pour Eton, elle avait refusé de laisser Nathan y aller aussi. Par conséquent, il était resté derrière pour être formé en tant qu'intendant du domaine.

— Je crois que papa voyait le potentiel de Nathan et espérait qu'il finisse par devenir l'intendant de Hugh.

Le doux tapotement de la pluie résonna lorsqu'ils dépassèrent une étendue de hautes fenêtres arquées.

— Mais Hugh et Nathan ne se sont jamais entendus. Nathan excellait en tout. Hugh, non. Maman était irritée en constatant que le fils de sa rivale dépassait son propre fils.

— Sa rivale? Je croyais que l'aventure amoureuse avec la mère de Fuller était terminée.

— Elle l'était, mais je soupçonne madame Fuller d'être restée le grand amour de la vie de papa. Et je crois que Maman l'a toujours su.

Elle rougit, jetant un rapide regard vers Cam.

— Alors, j'en ai beaucoup trop dit. Maintenant, vous voyez à quel point je manque de discrétion et pourquoi Maman craignait mes bavardages.

— Vous êtes franche et honnête, dit-il avec tendresse. Ce sont des qualités admirables.

Sa couleur s'intensifia encore davantage.

— Vous ne pouvez pas jeter le blâme sur Hugh, je suppose. Il était inévitable que l'attitude de Maman déteigne sur lui.

— Mais pas sur vous.

— Non, dit-elle, les yeux humides. Nathan est mon frère aîné, et je l'adore depuis toujours.

— Sachant ce qui se passait entre les frères, pourquoi votre père n'a-t-il pris aucune disposition à l'égard de Nathan lorsqu'il est mort?

— Il ne lui a rien laissé. Peut-être en avait-il l'intention sans jamais l'avoir fait. J'ai toujours cru qu'il avait peur de le faire à cause de Maman, dit-elle en laissant échapper un soupir. Dès que papa est mort, Nathan a quitté le manoir Shellborne. Il a travaillé un moment dans une usine, mais il n'a pas profité de la vie au domaine. Alors, il est venu travailler pour Hartwell.

— Avec votre aide.

— Oui, dit-elle en s'arrêtant de marcher et en se tournant vers lui. Mais le duc et Willa ne savent rien de notre lien, et Nathan désire qu'il en soit ainsi.

— Pourquoi? Il recevrait un meilleur traitement si les gens connaissaient la vérité à propos de sa naissance.

— Je suppose qu'il est plus facile pour lui que les gens le considèrent tout simplement comme le cocher du duc plutôt que comme le fils naturel et non reconnu d'un baron. Il a l'esprit vif, dit-elle d'une voix remplie de fierté. Je le verrais devenir un jour l'intendant de Hartwell.

Il s'arrêta et lui prit la main.

— Et qu'en est-il de nous, Charlotte? Oserais-je espérer que cette honnêteté nouvelle entre nous puisse mener à un avenir?

Elle secoua la tête, regardant sa main flirter avec ses propres doigts.

— Non, Cam. Je voudrais que ce soit aussi simple, mais ce ne l'est pas.

— Dites-moi pourquoi, dit-il. Je sais maintenant qu'il n'y a pas d'autre homme dans votre vie. Nous avons quelque chose d'extraordinaire. Il n'en va pas toujours ainsi entre un homme et une femme. Vous ne devez pas rejeter cela à la légère.

Elle plaça la main de Cam entre les siennes, ses doigts effilés par-dessus les courbes et les bords rugueux où la peau douce se terminait par des durillons provenant d'années de promenades à cheval. Son toucher duveteux lui donna une secousse électrique. Il ne l'abandonnerait jamais.

— Je ne vous mentirai pas. Vous méritez beaucoup mieux que cela, dit-elle en levant les yeux, vrillant les siens de son regard azur. Les circonstances qui nous empêchent de nous marier n'ont pas changé. Personne n'en est plus désolé que moi.

Cam fit monter sa main à sa bouche pour déposer un calme baiser dans sa paume ouverte.

— Parlez-moi de ces circonstances. Nous les réglerons ensemble, dit-il d'un ton urgent. Je suis marquis, Charlotte, et je détiens un grand pouvoir et une large influence. Peu importe ce que c'est, nous pouvons nous arranger ensemble.

— C'est cela, c'est tout, dit-elle d'un ton lourd de regret. Il y a dans ma famille des secrets que je ne peux partager.

— Peu importe lesquels, ils ne peuvent être si affreux.

— Vous êtes quelqu'un d'importance au gouvernement, dit-elle. Vous pourriez un jour devenir ministre. Ensuite, vous serez capable d'atteindre une grandeur variable. Vous pouvez aider les travailleurs. Chacun considérera votre village manufacturier et vous imitera. Rien ne peut ternir cela. Rien n'a plus d'importance.

— Vous songez à protéger ma carrière politique ? Est-ce bien cela ?

— Il s'agit du bien que vous ferez pour tant de gens lorsque vous deviendrez ministre. Peut-être même serez-vous un jour premier ministre, dit-elle en se détournant de lui. Les secrets de ma famille vous ruineraient.

Il posa une main sur ses épaules pour la faire se retourner face à lui. Une vague de détermination le parcourut. Il ne pouvait pas la perdre. Il ne le permettrait pas.

— À quel point est-ce mauvais ? Vous exagérez sûrement. Je peux supporter un peu de gêne, Charlotte. Vous devez me laisser décider.

— Non ; lorsque je vous le dirai, vous serez souillé par la vérité. Vous serez obligé de choisir entre moi et votre honneur, dit-elle en secouant résolument la tête. Je ne vous obligerai jamais à faire ce choix. M'aimer ne peut être la cause de votre perte.

Ses yeux d'un bleu de cristal luisaient avec une détermination si honnête qu'il en eut mal à la poitrine.

— M'aimez-vous, Charlotte ? Vous avez dit que vous ne me mentiriez pas. M'aimez-vous ?

Elle expira.

— Oui.

— Alors, battez-vous pour nous.

— Je suis en train de me battre pour vous, Cam, dit-elle. Pour votre avenir. Pour garder ma famille en sécurité.

— Vous ne croyez pas que je vais garder votre famille en sécurité ?

L'acier de sa voix avait allumé une panique au fond de lui.

— Votre famille deviendra mienne dès que nous nous marierons. Elle aura ma protection.

Le visage de Charlotte s'adoucit.

— Là-dessus, je n'ai aucun doute. C'est pourquoi je ne puis le permettre. Vous devez n'avoir aucun lien avec les Livingston, à tout jamais.

Une servante apparut à l'extrémité du couloir.

— Miss Livingston? Madame la duchesse requiert votre présence dans son appartement.

Elle fit un signe de la tête à la fille.

— J'arrive.

Elle se retourna vers Cam.

— Je ne suis pas une femme ridicule et hystérique. Vous le savez. Vous devez me faire confiance.

Il sentit qu'elle lui échappait.

— Êtes-vous certaine de pouvoir le faire, Charlotte? Êtes-vous prête à me voir courtiser d'autres femmes et peut-être épouser l'une d'elles?

Il se pencha, arrivant face à face avec elle, tentant d'ignorer la légère odeur florale qui balayait ses sens.

— Vous êtes-vous demandé comment vous vous sentirez lorsqu'une autre femme portera mon enfant dans son ventre? Lorsque tout ce temps, vous saurez que vous auriez dû être à sa place?

Elle se raidit.

— Je dois y aller. Willa n'est pas bien, ce matin.

— Ce n'est pas fini.

— Je voudrai toujours votre bien, dit-elle en le considérant avec un calme tranquille. Je vous souhaite tout le bonheur.

La libérant à regret, il se pencha contre le mur de la galerie et croisa les bras, son regard de fer suivant la silhouette de Charlotte qui s'éloignait. Oh, il avait l'intention d'être heureux, bien sûr. Peu lui importait ce secret. Il n'allait pas être détourné de son intention de la séduire. La seule différence, à présent, c'était que la séduction de Charlotte avait acquis un tout nouveau degré d'urgence.

Chapitre 11

— Qui est-ce? demanda Charlotte.

Une voiture laquée noire et bien aménagée apparut alors qu'elle et Willa arrivaient à une courbe au cours de leur marche quotidienne.

Willa tendit le cou pour mieux regarder.

— Ah, je crois bien que c'est la voiture de Selwyn. Hart m'a dit qu'il viendrait peut-être passer quelques jours.

Elle poussa un soupir de soulagement, écartant une boucle de cheveux de son visage parfait.

— Dieu merci. Nous avons besoin d'une diversion. Tu as la bonté de passer ma grossesse avec moi, mais je crains d'avoir été égoïste et de t'avoir enfermée ici trop longtemps sans divertissement.

— Tu dis n'importe quoi.

Charlotte songeait au plaisir de voir Cam chaque jour.

— J'ai été capable de rattraper mon rythme d'écriture. J'ai même commencé mon article sur le village manufacturier de Cam.

Alors qu'elles entraient dans la grande salle, le duc sortit du salon pour les accueillir.

— Les voici, maintenant.

Hartwell offrit son bras à Willa et les mena toutes les deux à l'intérieur du salon.

— Willa et miss Livingston sont revenues de leur promenade. Chérie, Selwyn est ici, et il a amené son adorable sœur.

Se levant pour les accueillir, David Selwyn esquissa une courbette avant de se retourner et d'inviter sa sœur à s'avancer.

— Votre Grâce, miss Livingston, permettez-moi de vous présenter ma sœur, miss Margaret Selwyn.

Avec ses cheveux dorés et lustrés et de grands yeux gris, miss Selwyn était d'une beauté saisissante. Le décolleté évasé et très tendance de sa robe couleur pêche mettait en valeur les courbes généreuses de sa délicate silhouette.

— Votre Grâce, dit-elle en faisant une révérence profonde. Vous rencontrer est un honneur et un plaisir.

Willa lui rendit un sourire généreux.

— Bienvenue, miss Selwyn. Monsieur le duc et moi adorons votre frère. C'est un véritable plaisir que de faire enfin la connaissance de sa sœur.

La duchesse lança à Selwyn un regard d'amicale récrimination.

— Monsieur Selwyn, où cachiez-vous cette adorable créature ?

— Ma sœur a voyagé sur le continent, dit-il avec un sourire chaleureux. Elle en revient tout juste.

Miss Selwyn se tourna vers Charlotte.

— Miss Livingston, quand David m'a dit que vous étiez ici, dit-elle d'une voix fébrile, j'étais fort emballée. J'ai lu certains de vos écrits. Cette occasion de vous rencontrer en personne est exceptionnelle.

Ravie et surprise de ce compliment, Charlotte sourit.

— Eh bien, merci, miss Selwyn. Comme c'est charmant de vous joindre à nous !

Un valet de pied apparut avec du thé, et Willa les dirigea tous vers leurs fauteuils.

Elle se tourna vers Selwyn.

— J'espère que vous allez nous honorer de votre présence pour plus qu'une courte visite.

Selwyn s'installa dans un fauteuil face à Willa et croisa les jambes, un genou sur l'autre.

— Sa Grâce nous a invités à rester quelques jours, avec votre permission, bien sûr.

— Vous l'avez, avec plaisir.

Willa ouvrit le voiturin et disposa les feuilles de thé avant de faire un signe de tête au valet de pied, qui attendait de verser l'eau bouillante de l'urne à la théière de porcelaine.

— Charlotte et moi étions justement en train de parler d'un besoin de diversion. Et vous avez aussi amené votre adorable sœur. C'est une merveilleuse surprise.

Des pas résonnèrent dans la salle immense juste avant l'entrée de Cam, qui était rempli d'une vigoureuse énergie. Ses vêtements d'équitation collaient à la courbe prononcée de son derrière, soulignant la bosse séduisante de chacune de ses fermes rondeurs. Les cheveux ambre de Cam étaient ébouriffés par le vent, et ses joues anguleuses avaient rougi sous le coup de ses efforts.

Chaque fois que l'homme entrait dans la pièce, le cœur de Charlotte vacillait. Au cours de la semaine qui s'était déroulée depuis la révélation à propos de Nathan, il avait été poli, attachant et charmant. Une ou deux fois, elle l'avait surpris alors qu'il lui envoyait un discret regard de considération, mais il n'avait pas tenté d'être seul avec elle. L'apparente acceptation qu'il avait conçue à propos de son rejet aurait dû la soulager, mais elle laissait ses entrailles stériles et désolées.

— Ah, voici Cam, à présent, dit Willa

Le marquis s'arrêta net lorsqu'il s'aperçut de l'arrivée de nouveaux invités.

Selwyn se leva avec un large sourire au visage.

— Je vois que votre valet doit encore apprendre comment coiffer un gentleman.

Cam lança un sourire large et sincère.

— C'est le secret de ma force.

Il prit une position de lutte, les poings fins prêts.

— Voudrais-tu mettre ma théorie à l'épreuve ?

Willa roula des yeux et interrompit leur amicale fanfaronnade en faisant un geste vers Margaret.

— Cam, monsieur Selwyn a amené sa sœur. As-tu déjà fait connaissance avec miss Margaret Selwyn ?

Le sourire de Cam se raidit presque imperceptiblement lorsque son regard glissa vers l'adorable Margaret.

Elle sourit plaisamment et plongea son menton en une démonstration de modestie exercée.

— Milord.

Il s'inclina.

— Miss Selwyn, nous nous rencontrons de nouveau.

Willa écarquilla les yeux.

— Vous vous connaissez ?

Le visage radieux de miss Selwyn s'éclaira.

— Oui, le marquis est assez souvent venu rendre visite à David, lors de trêves universitaires. La première fois qu'il est venu, je n'étais qu'une jeune fille.

Elle toucha une boucle de cheveux.

— Cela fait, quoi… presque trois ans depuis votre dernière visite ? C'était peu avant qu'il accède au titre.

— En effet.

Les paroles calmes et courtoises n'avaient pas l'habituelle cordialité de Cam.

— Je n'étais que l'honorable monsieur Stanhope, à l'époque.

— Et où est votre maison familiale, miss Selwyn ? demanda Charlotte, s'obligeant à adopter un ton amical malgré la jalousie qui lui balayait les entrailles.

Quel genre de lien Cam avait-il donc avec cette magnifique créature ?

La sœur de Selwyn gardait ses grands yeux gris fixés sur Cam et ne semblait pas avoir entendu la question de Charlotte. Son frère répondit pour elle.

— Juste aux environs de Londres, à Richmond, miss Livingston.

Miss Selwyn fit clignoter ses interminables cils.

— C'était une fête magnifique, dit-elle à Cam. Nous avons passé un moment fort merveilleux. Vous rappelez-vous, milord ?

— Bien sûr, miss Selwyn, dit Cam, le visage impassible. C'était mémorable.

— J'étais une telle enfant, alors ; j'avais à peine 17 ans.

Ses yeux clairs étaient encore fixés sur lui, et elle poussa un doux rire aux intonations mélodieuses.

La sœur attirante de Selwyn désirait Cam, c'était bien évident. Charlotte combattait une folle envie d'arracher les cheveux dorés de la gamine. Elle serra plutôt les lèvres pour former un sourire et sirota son thé.

Cam prit une position auprès de la cheminée, un coude appuyé contre le dessus. Malgré la posture désinvolte, Charlotte détecta de la tension derrière son expression courtoise. La sœur de Selwyn lui faisait un certain effet.

Elle réprima un soupir. *Eh bien, pourquoi pas ?* Même elle pouvait voir que Mis Selwyn, avec sa silhouette menue, ses cheveux blonds et ses traits délicats, incarnait l'idéal de beauté du beau monde. Les hommes appréciaient sans aucun doute son corps luxuriant et rebondi. Charlotte écarta de son visage une boucle de cheveux rebelles. La visite de la lady venait de commencer, mais à force de serrer les dents, elle avait déjà mal à la mâchoire.

• • •

Au dîner de ce soir-là, les charmes de miss Selwyn étaient largement étalés. Sa robe de soie vert glauque mettait en valeur une poitrine généreuse et une lisse étendue de teint crémeux. La large et ronde encolure de sa longue robe était bordée d'argent, ce qui rehaussait les yeux gris ardoise de miss Selwyn alors que les souples boucles de ses cheveux dorés, relevés sur la tête, encadraient son visage.

La lady passa tout le repas à pousser de petits rires à chaque remarque que Cam se trouva à faire, s'attachant à chacun de ses mots, surtout lorsque la conversation portait sur les soulèvements des luddites.

Les yeux de Selwyn s'agrandirent lorsqu'elle apprit la nouvelle de l'attaque sur la manufacture de Cam et de Hartwell.

— Oh, mon Dieu, s'exclama-t-elle, à bout de souffle. Ces luddites sont effrayants.

— Et les milliers de soldats que le gouvernement a envoyés pour réprimer le sabotage les machines ? demanda Selwyn au-dessus d'un verre de vin. Est-ce que cela a été utile ?

— En quelque sorte, dit Hartwell. Mais on se demande ce qui se passera lorsque les troupes seront retirées.

Miss Selwyn eut un subtil frisson.

— On devrait les pendre jusqu'au dernier.

Son frère dit :

— On se demande s'ils finiront un jour par capturer Ned Ludd.

Hartwell fit à un valet de pied un léger signe de la tête. L'homme s'avança pour remplir le verre du duc.

— Il n'est même pas prouvé que l'homme existe.

— Il est facile à un homme imaginaire d'échapper à la capture, dit Cam.

— Un homme imaginaire ?

Le regard révérencieux que miss Selwyn accorda à Cam donna à Charlotte l'envie de rouler des yeux. Plutôt, elle mastiqua bruyamment et avec un peu trop de force le veau qu'elle avait dans la bouche.

— Certains font remonter les soulèvements des luddites à un seul homme et à un seul incident, dit Cam. Ce Ludd travaillait dans une manufacture quelque part, peut-être à Leicester. On dit qu'il a brisé deux machines à tricoter dans un accès de rage.

Miss Selwyn écarquilla les yeux.

— Était-ce à dessein ?

Selwyn fit oui de la tête.

— Certains le disent.

— Mais d'autres disent que Ludd était un homme simple, l'idiot du village, en fait, et que ce n'était pas à dessein, dit Cam en prenant une bouchée de bœuf bouilli.

Willa remua sur sa chaise et essaya de trouver une position confortable.

— Comme ce serait ironique si les gestes négligents d'un idiot du village avaient lancé cette rébellion !

Charlotte, qui avait écouté l'échange sans faire de commentaire, finit par parler.

— Peu importe de quelle façon cela a commencé, le mouvement est bien réel. Ses doléances ne sont pas sans mérites.

Miss Selwyn écarquilla tellement les yeux que ces cils interminables faillirent toucher ses délicats sourcils.

— Vous n'approuvez certainement pas le saccage des machines, miss Livingston.

— Non, mais leurs préoccupations devront être abordées, dit-elle en se demandant si miss Selwyn s'exerçait à prendre cette expression dans sa glace. Nous ne pouvons avoir une campagne remplie de gens réduits à la mendicité parce qu'il n'y a pas de travail. Ils doivent avoir une façon de nourrir leurs familles et d'allumer leurs cheminées.

— C'est tout à fait vrai, mais la violence n'est pas la solution, et il faudra s'en occuper sévèrement, dit Cam.

Une douleur de déception taillada le ventre de Charlotte lorsque son regard lui échappa pour se poser sur miss Selwyn.

— Si ce Ned Ludd existe vraiment, il faut l'éliminer. Le plus tôt sera le mieux.

Charlotte n'aurait pas pu être plus reconnaissante lorsque l'interminable soirée finit par se conclure. Malheureusement, elle affronta la même chose le lendemain matin lorsque le groupe entreprit une promenade.

— Merci, dit miss Selwyn à Nathan alors qu'il l'aidait à monter son étalon.

Elle et David se joignirent à Cam, à Charlotte et à Hartwell. L'état de Willa l'empêchait de participer.

Charlotte remarquait rarement les vêtements, mais même elle ne put s'empêcher de voir sur miss Selwyn le costume d'équitation le plus exquis, avec son tissu bleu ciel délicatement moulant, ses manchettes brodées et une riche dentelle qui accentuait l'encolure. Le chapeau assorti était fait de soie et orné de plumes. À regret, Charlotte baissa les yeux vers sa modeste tenue d'équitation — une simple chemise blanche et une jupe, des bretelles et un spencer rouge.

Elle ne fut pas surprise en voyant bientôt Margaret et Cam chevaucher côte à côte. Écartant ses boucles blondes, la sœur de Selwyn riait d'un ton suave lorsque Cam disait quelque chose. Qui plus est, l'élégante beauté donnait toute apparence d'être une habile cavalière. Heureusement, les gentlemen semblaient lui accorder peu d'attention. Ils se lançaient mutuellement des défis à la course, blaguant et se taquinant comme ils devaient le faire lorsqu'ils étaient ensemble à l'université. Charlotte souriait devant leur camaraderie. Les hommes avaient beaucoup de chance de pouvoir s'éloigner pour s'instruire!

Ils s'engagèrent dans une série de bonds, et comme Charlotte, miss Selwyn se débrouillait très bien en amazone. Elle riait aisément lorsque les hommes s'envoyaient des insultes bon enfant, se joignant à leurs plaisanteries, ses yeux calculateurs scintillant en direction de Cam d'une façon qui faisait bouillonner d'envie le ventre de Charlotte.

Selwyn rapprocha sa monture de la sienne.

— Vous semblez pensive, dit-il.

— J'étais en train de réfléchir à mon dernier essai, mentit-elle. Si je ne me concentre pas dessus, je crains d'être en retard pour le travail d'édition.

Enfin, c'était partiellement vrai.

— En tant que grand admirateur de votre travail, j'attends avec impatience de le lire.

— Eh bien, merci, dit-elle, sincèrement ravie du compliment. Certains me trouvent beaucoup trop radicale.

— Miss Livingston, ceux qui disent de telles choses font sûrement partie de la noblesse, dit-il en plaçant sa main sur son torse. Je ne suis pas un gentleman. Ma famille s'est très bien débrouillée, mais je suis toujours conscient des difficultés qu'affronte la classe ouvrière.

Charlotte sourit, songeant à quel point elle aimait le côté chaleureux et la manière sympathique de Selwyn.

— Vous êtes davantage un noble que beaucoup d'entre nous, qui le sommes de naissance.

Son cheval caracola. Selwyn tendit vivement la main pour calme Flame, puis il la retira, craignant apparemment d'avoir dépassé les bornes.

— Je vous demande pardon.

Elle tendit la main et lui tapota le bras.

— S'il vous plaît, ce n'est rien. Il n'y a pas de mal.

Il détendit la mâchoire.

— J'ai l'habitude de chevaucher avec ma sœur. Elle vient tout juste d'apprendre l'équitation. Elle était déterminée à bien faire. J'ai souvent tendu le bras pour calmer sa monture, dit-il en lui envoyant un regard contrit. Je suppose que c'est le frère aîné en moi.

— Elle est fort chanceuse de vous avoir comme protecteur.

Le cheval de Charlotte caracola de nouveau, hennissant.

— Ma jument a bien hâte de courir. Voudriez-vous faire un tour rapide ? Disons jusqu'à cette vieille souche, un aller-retour ?

Il sourit à ce défi.

— C'est d'accord. Allez-y, miss Livingston, je vous suis.

• • •

Des rires fusèrent dans l'air lorsque Charlotte et Selwyn éperonnèrent leurs montures. Les narines élargies, Cam fixa intensément les deux cavaliers qui s'éloignaient. La façon dont Charlotte avait touché le bras de Selwyn n'avait pas échappé à son regard.

Une douce toux féminine exigea son attention. En détournant son regard de Charlotte et de Selwyn, il trouva Margaret à son côté. Lorsqu'il eut remarqué sa présence, elle lui fit un sourire radieux.

— Je vois que vous êtes un cavalier encore plus doué que vous l'étiez lorsque vous nous avez honorés à Richmond, milord.

— Je suis étonné par vos considérables aptitudes à l'équitation, miss Selwyn.

Il s'obligea à ne pas lancer un regard furtif en direction de Charlotte.

— D'après mes souvenirs, vous aviez peur de monter à cheval, et vous vous y adonniez rarement.

— Vous avez découvert mon secret. J'ai été terriblement émue par votre dévotion envers ce sport.

Elle tendit le bras pour caresser l'encolure de son étalon, passant sa délicate main gantée en lents mouvements de haut en bas.

— Je m'y exerce quotidiennement depuis trois ans, car je sais que vous appréciez une femme de grande habileté lorsqu'il s'agit de monter en croupe.

Cam leva un tantinet les sourcils, perplexe. Avait-elle délibérément utilisé cette scandaleuse expression à double sens ou s'agissait-il de l'innocente remarque d'une jeune lady inexpérimentée ? Même sa manière de caresser son cheval semblait suggestive. Son esprit écarta l'insondable notion. Dans son souvenir, la jeune femme était une innocente. Elle avait toutefois été calculatrice et ambitieuse, même à un âge si tendre. Il l'avait appris à la dure.

— Bravo, miss Selwyn.

Désireux de s'éloigner d'elle, il chercha Charlotte et trouva son regard sérieux posé sur eux. Leurs regards se croisèrent, et elle releva un sourcil avant de se détourner et d'éperonner son cheval pour le faire galoper.

Cam sourit, le bas-ventre excité. Cela semblait être un moment excellent pour faire appel à un peu de séduction.

— Veuillez m'excuser.

Il pressa sa monture de la rejoindre. Les sabots de l'étalon martelèrent le sol, et il rejoignit facilement sa jument à elle. Il parcourut plusieurs enjambées au petit galop au côté de Charlotte jusqu'à ce qu'il s'aperçoive qu'elle n'avait aucunement l'intention de ralentir. Prenant les devants, il fit retourner son étalon sur la trajectoire du cheval de Charlotte, l'obligeant à ralentir et en définitive à s'arrêter.

— Qu'est-ce que vous voulez ? dit Charlotte d'un ton abrupt alors qu'elle faisait ralentir sa jument. Essayez-vous de me faire tomber de nouveau ?

Il lui fit un sourire narquois et enjoué.

— Que voulait dire ce regard ?

— Quel regard ?

— Celui que vous m'avez lancé quand je parlais à miss Selwyn, dit-il en tendant la main et en lui frôlant le front d'un doigt. Le sourcil arqué et ainsi de suite.

— Oh, ça, dit-elle d'un ton dédaigneux en descendant de son cheval. Je n'ai pu m'empêcher de remarquer qu'elle paraît séduite par vous.

Cam mit pied à terre en un seul mouvement souple. Sa bouche s'élargit pour former un sourire ravi.

— Est-ce que je détecte de la jalousie, Charlotte ?

Elle lui fit un regard sérieux.

— Peut-être.

Il eut la poitrine parcourue d'une émotion. C'était la Charlotte à laquelle il tâchait de résister, celle qui disait la vérité. Son sourire s'évanouit.

— Vous n'avez aucune raison d'être jalouse.

Les yeux brillants, elle s'obligea à faire un sourire inégal.

— Je n'ai aucun droit de l'être. J'en suis bien consciente. Pourtant, je n'aimerais pas être témoin de la cour que vous faites à une autre femme, dit-elle en caressant l'encolure de son cheval. Si ce n'était du bébé de Willa, je me retirerais au manoir Shellborne et vous laisserais faire la cour à miss Selwyn.

Le cœur de Cam tressaillit à la vue de la profonde douleur que montraient ses yeux couleur de ciel. Il décida d'accélérer la séduction afin d'épargner une détresse supplémentaire à sa bien-aimée. Il fallait que son frère, Shellborne, soit disponible lorsque Cam poserait son geste. Il se dit qu'il lui faudrait demander à Willa d'inviter le baron pendant quelques jours. À Charlotte, il dit :

— Je n'ai aucune intention de courtiser miss Selwyn.

Elle se mit à marcher en tenant les rênes de sa monture, qui la suivait.

— Pourquoi pas? Elle serait une marquise parfaite, une femme politique idéale.

Cam poursuivit :

— Et son frère? demanda-t-il, incapable de retenir sa jalousie. Ferait-il un mari idéal?

Elle fronça les sourcils.

— Ne soyez pas ridicule.

— Vous semblez apprécier sa compagnie.

— Comme nous tous. Il est tout à fait aimable. Tout comme sa sœur, ajouta-t-elle sur un ton grave.

Il la regarda marcher devant, contemplant la simple jupe d'équitation brune et la chemise blanche à bretelles qu'elle avait l'habitude de porter. Sa petite veste d'équitation rouge et serrée moulait ses seins, son encolure échancrée et ses boutons mettant en valeur ses douces courbes. Il la rattrapa après quelques rapides enjambées.

— Margaret Selwyn n'est pas vous.

— Là-dessus, nous sommes d'accord. Elle est adorable.

Il s'arrêta brusquement et se tourna vers elle. La dernière chose dont il voulait discuter, c'était l'un ou l'autre des Selwyn. Plutôt, voulant qu'elle se rappelle l'inépuisable chaleur entre eux deux, il lui posa la question qui le narguait depuis des semaines.

— Charlotte, parlez-moi de cette nuit où vous m'avez surpris avec Maria Fitzharding. Comment vous êtes-vous sentie lorsque vous nous avez vus ensemble?

Elle baissa les sourcils.

— Pourquoi donc voudriez-vous soulever cette question, à présent?

— Je me la suis souvent posée.

Charlotte respira à fond.

— J'étais envieuse d'elle.

— Envieuse?

De ses yeux bleus clairs elle le regarda sans détour.

— J'ai envié sa capacité de vous procurer du plaisir. Et je vous ai trouvé beau. Je crois encore que vous êtes l'homme le plus beau que j'aie jamais vu.

Cam oublia de respirer. Il resta ébahi devant Charlotte, absorbant les flaques sans fin de ses yeux et ses joues rouges. Il sentit les battements de faim dans son corps, et ses parties viriles brûlèrent de désir pour elle. Il tendit le bras, mais elle s'écarta, utilisant une grosse roche pour monter son cheval en un seul mouvement aisé. Un rapide moment plus tard, elle galopait de nouveau pour rejoindre les autres, laissant derrière elle un Cam ébahi qui s'efforçait de contrôler son corps enflammé.

Il s'obligea à respirer profondément à plusieurs reprises pour calmer la pulsation douloureusement urgente entre ses jambes. Bon sang! S'il n'arrivait pas à la séduire bientôt, il passerait certainement pour un échappé de l'asile.

• • •

— C'est à couper le souffle.

Charlotte regarda, émerveillée, les ruines de la vieille abbaye où le groupe allait piqueniquer aujourd'hui. Tandis que les domestiques dressaient le repas, ils flânèrent près des ruines pour mieux les inspecter. L'agréable journée d'été semblait parfaite pour un panier-repas à l'extérieur.

Elle regardait ce qu'il restait de la structure ancienne. Une grande part de la vieille maçonnerie grise avait été dérobée au fil des ans, mais une tour isolée demeurait largement intacte et surgissait majestueusement contre le paysage serein et luxuriant.

Hartwell suivit le regard de Charlotte.

— Les moines auraient choisi cet endroit pour son calme et sa solitude.

— Je vois qu'il n'a pas beaucoup changé, dit Hugh Livingston en écartant une mouche.

Les joues rondes de son frère étaient encore plus rouges que d'habitude, et son visage luisait d'humidité. *Pauvre Hugh.* Il semblait tellement transpirer. Elle se demanda pourquoi Willa l'avait invité contre toute attente à Fairview pour 15 jours. Il était arrivé la veille, emballé à l'idée de faire partie du rassemblement intime du duc.

Elle avait la tête ailleurs lorsque le bras de Cam surgit pour stabiliser miss Selwyn, qui parvenait toujours à paraître gracieuse même quand elle chancelait sur les surfaces inégales de la vieille abbaye.

Serrant son bras, elle accorda à Cam un sourire reconnaissant.

— Oh, merci, milord, dit-elle, la voix plus haletante que d'habitude.

En lui retournant son sourire, Cam ne semblait pas accorder d'importance au fait que miss Selwyn continuait à serrer son bras pendant que le groupe poursuivait son exploration. Sa perte d'équilibre semblait plus stratégique qu'accidentelle. Au cours de la semaine écoulée depuis son arrivée, la lady semblait prendre l'habitude d'être coincée aux côtés de Cam.

Charlotte ramena son attention vers l'abbaye, passant sa main sur ce qu'il restait du mur de pierre diminué.

— Regardez seulement le travail de maçonnerie. Il est si orné, dit-elle en se penchant la tête pour examiner les détails complexes. Qu'est-ce que c'est?

Elle désigna certaines des marques indéchiffrables gravées dans le sol.

— Je vois que vous avez découvert notre mystère local, dit Hartwell en s'approchant, suivi par le reste du groupe. C'est le plancher de l'église. Personne n'a jamais pu déterminer ce qu'étaient censées signifier ces inscriptions.

— Depuis combien de temps est-ce ici? demanda Selwyn.

Le duc passa les mains sur la pierre.

— L'abbaye est là depuis plus de 430 ans. Les moines y ont paisiblement habité pendant environ 200 ans.

Cam s'approcha d'un pas nonchalant, et son regard allumé par l'espièglerie remua les entrailles de Charlotte.

— Jusqu'à ce que vos ancêtres les chassent?

— Ce territoire est passé à la famille Preston lorsque le duché de Hartwell a été créé, il y a tout juste 215 ans.

— Qu'est-il advenu des moines? demanda miss Selwyn, qui, bien sûr, avait suivi Cam.

Elle jeta un rapide regard vers Cam, son front délicat ridé par l'intérêt.

Charlotte ne pouvait s'empêcher d'admirer le jeu. Miss Selwyn était assez intelligente pour ne pas faire l'imbécile avec Cam, ayant apparemment déduit que le marquis préférait une femme sérieuse. Aux yeux de Charlotte, le comportement de Cam envers miss Selwyn semblait invariable. Il gardait une distance polie, mais c'était un homme, après tout. Un homme viril. Son ventre se noua. Cam ne souhaitait peut-être pas encore courtiser la lady, mais avant longtemps, il allait sûrement succomber à ses charmes abondants.

— Admirez-vous l'histoire, miss Livingston ? dit Selwyn en s'agenouillant à côté de Charlotte pour examiner les inscriptions au plancher.

— Oui, je trouve fascinant de songer aux gens qui sont venus ici avant nous, dit-elle, reconnaissante pour la distraction. Je me demande ce qu'ils pensaient et comment ils vivaient véritablement, dit-elle en levant les yeux vers lui et en souriant. Vous trouvez sans aucun doute que je suis un insipide bas-bleu.

Se levant, il lui offrit sa main pour l'aider à se redresser.

— Je ne pourrais jamais vous trouver lassante, miss Livingston, dit-il avec un regard aimable. En effet, votre esprit semble toujours en éveil. Que vous songiez à vos écrits ou que vous contempliez le sens de l'histoire.

— Vous n'êtes pas scandalisé du fait que je ne m'intéresse pas à la toute dernière couleur de ruban au magasin du village ou aux toutes dernières gravures de mode ?

Il répondit par un rire appréciateur alors qu'ils continuaient d'explorer les ruines ensemble. Après un moment, ils furent rejoints par une partie des autres. Désireuse d'examiner la tour de près, Charlotte s'écarta du groupe. Elle entra dans la tour par l'entrée voûtée. L'intérieur petit et creux donnait sur l'autre côté.

En entrant, elle faillit se buter contre Cam, appuyé contre le mur extérieur, les hanches poussées en avant et les jambes écartées. Il portait ses bottes en toile, brunes et usées, de même que la culotte de cuir patinée qui soulignait les lignes fermes de ses cuisses. Lançant un sourire impudent à Charlotte, il la tira près de lui et hors de la vue du reste de leur groupe.

— Que faites-vous là? demanda-t-elle en essayant d'ignorer le fait que sa familière odeur masculine accélérait les battements de son cœur.

Le soleil brillait à travers sa turbulente crinière dorée. Il lui fit un clin d'œil.

— Je me cache de l'adorable miss Selwyn.

Le cœur de Charlotte bondit, mais elle s'obligea à le regarder avec une fausse indifférence.

— Je ne comprends pas votre continuelle résistance. Miss Selwyn est adorable et semble vraiment tomber sous votre charme.

— Vous croyez?

— Oui, et elle est délicate en plus d'avoir des formes agréables, dit-elle, faisant une référence à peine voilée aux courbes généreuses de Margaret.

— Hmm. Je crois préférer une femme d'envergure.

Les yeux éclatants de Cam, couleur d'ambre, glissèrent sur le corps de Charlotte et la réchauffèrent entièrement jusqu'aux orteils.

— Pour ce qui est des courbes, je préfère le mystère lié au fait de les découvrir moi-même au lieu de les voir étalées aux yeux de tous les hommes.

Ils restèrent debout côte à côte contre le mur, mais Cam pivota pour lui faire face, son corps s'arrêtant à quelques centimètres du sien. Elle s'appuya davantage contre le mur, le cœur virevoltant alors que les longs doigts de Cam montaient pour caresser le haut de son corsage.

Elle retint son souffle.

— Que faites-vous là ?

— Vous avez lancé cette conversation, dit-il, le regard posé sur le mouvement de ses doigts. Je ne fais que répondre à votre demande.

Ses doigts frôlaient la peau sensible et exposée du rebond de ses seins, ce qui faisait gambader ses nerfs sous son toucher.

— Une femme respectable, dotée de courbes calmes, a des secrets de la chair qui ne sont connus que de son mari. Comme il a de la chance d'être le seul membre de l'espèce masculine à jamais la voir ainsi !

Il se pencha pour poser ses lèvres à l'endroit sensible où son cou rencontrait la douce courbe de son épaule, et il suça légèrement sa peau.

La délicieuse sensation la fit haleter. Sa main imprudente s'éleva lentement pour caresser les épaisses mèches de la chevelure de Cam, dont les lèvres déposaient un tracé flamboyant le long de son cou jusqu'au lobe de son oreille.

— Il aura seul le privilège de découvrir chaque courbe douce, chaque point sensible.

La chaude haleine de Cam lui chatouilla l'oreille. Elle trembla en sentant subtilement darder sa langue.

— Et il doit honorer ce privilège et la traiter avec un soin et une délicatesse extrêmes.

La chaleur s'éleva dans son corps. Elle ferma les yeux, savourant son toucher et son odeur, attendant de sentir ses lèvres sur les siennes. Il fallait qu'elle s'enfuie en courant, bien sûr, mais elle n'avait aucune défense contre les attraits de Cam. Et il le savait.

— Vous ne croyez tout de même pas me séduire.

— Si vous n'en êtes pas certaine, dit-il en mordillant la peau sensible de son cou, alors il est clair que ma technique a besoin d'amélioration.

Elle frissonna de plaisir. S'il améliorait le moindrement sa technique, elle allait sûrement éclater en une boule de flammes.

Une éternité parut s'écouler avant que le doux frôlement de sa bouche se pose sur la sienne. Il l'embrassa gentiment au départ, ses lèvres douces et langoureuses parcourant les siennes. Elle soupira lorsqu'il intensifia le baiser, sa langue venant s'accoupler à la sienne avec de profondes caresses. Elle sentit l'amour de son baiser et ne put s'empêcher de le retourner. L'urgence brûlait en elle, et elle ouvrit davantage la bouche, accueillant ses attentions. Un grognement satisfait résonna dans la gorge de Cam.

Une voix résonna. Charlotte s'aperçut que quelqu'un criait leurs noms.

— Il est temps de manger, s'entendit-elle dire en se détachant.

Son cœur bondit lorsqu'elle vit dans ses yeux le désir à l'état brut, mais il ne tenta aucunement de l'arrêter. Son pouls battait encore, et elle parvint à garder suffisamment de fermeté dans ses jambes tremblantes pour retourner au groupe.

Lorsqu'elle rejoignit les autres, Charlotte s'affaissa à côté de Selwyn, espérant que personne ne remarquerait à quel point son corps résonnait encore sous l'effet de son toucher. Cam arriva d'un pas tranquille quelques minutes plus tard, réprimant à peine un sourcillement lorsqu'il la vit assise à côté de Selwyn. Avec un sourire enjoué, il s'installa de l'autre côté d'elle.

Miss Selwyn, qui observait son approche, fit un large sourire à Cam. Puis son regard froid et gris glissa vers Charlotte pour y rester posé un moment.

• • •

— Wellington a franchi les Pyrénées. Avant longtemps, les alliés vont atteindre Paris.

Le duc était allongé dans son fauteuil, ses longues jambes appuyées contre un autre fauteuil. Selwyn et Cam se joignirent à lui sur la terrasse pour un porto et de petits cigares après dîner. Une lente brise estivale glissa sur eux, portant les odeurs florales, douces et épicées des jardins.

Cam était étalé dans son fauteuil.

— Je serai heureux lorsque cette satanée guerre sur la péninsule sera terminée.

— Où est ton frère, ces temps-ci, Cam? As-tu des nouvelles de lui? demanda Selwyn.

Il était assis d'une façon moins détendue que les deux autres hommes, penché en avant à la table, les coudes appuyés.

— Pas trop.

Regardant fixement dans l'obscurité, il termina son verre de porto.

— D'après son dernier message, il est avec Wellington.

Hart tira une longue bouffée de son petit cigare et pencha le visage vers le haut, suivant des yeux la trajectoire grise des volutes qu'il expirait.

— S'est-il remis de ses blessures de guerre?

— Les dernières lettres d'Edward à notre mère indiquent que oui, mais je ne serai pas satisfait avant que nous l'ayons vu en personne.

— Charlotte me dit qu'elle aimerait écrire un essai sur les hommes qui reviennent de la guerre, dit Selwyn. Ceux qui n'ont ni les moyens ni les titres qu'il faut pour supporter les blessures de guerre et qui sont laissés à eux-mêmes. N'est-ce pas, Charlotte ?

Cam se retourna pour regarder Selwyn, la mâchoire serrée. L'homme semblait attaché en permanence au côté de Charlotte, ces temps-ci.

— Miss Livingston, bien sûr, dit Selwyn en rougissant. Je vous demande pardon.

Remplissant son verre, Cam se concentra sur le liquide frémissant de couleur ambre foncé. Selwyn suivait Charlotte depuis des jours. L'homme était un obstacle qu'il n'avait pas l'intention de tolérer.

— Dites-moi, Selwyn, croyez-vous que le plaidoyer de miss Livingston en faveur des roturiers s'étendra jusqu'à ses appartements ?

Le souffle brusque de Selwyn transperça l'obscurité.

— Je vous demande pardon ?

Se redressant, Hart balança son pied botté pour le faire descendre du fauteuil et se pencha vers Cam.

— Que diable veux-tu dire ?

— Je me demande si Selwyn a l'intention de courtiser la fille et la sœur d'un baron.

Selwyn se raidit. Même s'ils étaient des amis de longue date, les hommes à la table n'étaient pas des égaux sur le plan social.

Cam balança le liquide ambre dans sa gorge, appréciant la brûlure et la sensation de feu qui coulaient dans sa poitrine et son ventre.

— Dites-nous, espérez-vous épouser une personne d'un rang supérieur ?

— Camryn, ça suffit, dit Hartwell.

Selwyn affronta le regard de Cam.

— Suis-je en train d'avilir quelqu'un, Camryn? Si c'est le cas, je m'en excuse, dit-il en se redressant d'un mouvement raide. On m'a fait comprendre qu'il ne se passait rien entre miss Livingston et vous.

Il se retourna avec une légère courbette en direction de Hartwell et retourna à l'intérieur de la maison, le corps droit et la tête haute.

Cam grogna et se frotta le visage avec les mains, de haut en bas, sachant bien qu'il venait d'insulter son ami de longue date.

— Au diable!

— C'est bien fait, imbécile, dit Hartwell en s'installant de nouveau dans son fauteuil et en tirant une bouffée de son petit cigare. Comment prévois-tu régler cela?

Cam fit cul sec et déposa le verre vide sur la table avec un claquement dur.

— Arrête!

— Tu devrais immédiatement résoudre la situation avec miss Livingston.

Hartwell exhala des volutes argentées de fumée en petits cercles précis.

— À moins que tu préfères aboutir à un duel.

— Je ne sais pas ce qui me possède en ce qui concerne Charlotte, dit-il en s'affalant de nouveau dans son fauteuil. L'idée qu'elle soit près d'un autre homme me rend fou.

Le regard sombre de Hartwell luisait d'amusement.

— Ah, Cam, tu sembles enfin complètement et totalement affligé.

Il regarda attentivement son ami d'un regard trouble.

— Cela ne s'est sûrement pas passé ainsi entre Willa et toi ?

— Mieux vaut que tu épouses la lady, dit Harwell en gloussant. C'est le seul remède.

Les débuts d'un sérieux mal de tête lui transpercèrent la nuque. Il souffla d'exaspération.

— Je m'y efforce.

Chapitre 12

Trois jours plus tard, lorsque tout le monde se fut retiré pour une sieste avant le dîner, Charlotte sortit furtivement de sa chambre. Passant devant la salle de billard, elle s'arrêta et se retourna en voyant l'intimidante table en bois et son tapis vert vif.

Le billard était au programme, ce soir-là, après dîner, et elle grimaça à cette idée, car elle y jouait de façon lamentable. La pensée de se rendre ridicule devant une impeccable Margaret Selwyn paraissait de plus en plus repoussante. Elle regarda autour d'elle et, ne voyant personne, elle entra et prit une queue de billard.

Après avoir disposé les boules de bois, elle les frappa avec la fine baguette, jurant lorsqu'elle ratait tout à fait les boules. Malgré tous ses efforts, elle arriva à peine à frapper les boules en donnant des coups faibles et essentiellement inutiles au moyen de la queue.

— Crotte!

Se mordant la lèvre, Charlotte s'efforça de frapper la boule avec un semblant de précision.

— Tout est question de concentration mentale.

Frappée de stupeur, elle se retourna vivement et vit Cam appuyé contre l'embrasure de la porte, le front ridé par l'amusement. Elle grimaça. C'était bien sa chance : être surprise dans ce qu'elle avait de moins gracieux.

— De toute évidence, je n'ai pas ce talent.

— Pas du tout, dit-il en s'avançant dans la pièce. De toute évidence, ils sont requis pour l'écriture de vos essais.

— J'ai fait de mon mieux pour ne pas complètement me ridiculiser ce soir, mais comme vous pouvez le voir, dit-elle en désignant les boules sur la table, cela ne se passe pas bien.

Il sourit et s'avança pour saisir une queue. Installant les boules, il se pencha avec l'agilité décontractée d'un joueur de billard expérimenté et aligna son bâton.

— Vous devez vous concentrer sur la prise et la visée.

Il projeta son bâton, lançant une boule qui alla frapper les autres boules, en envoyant trois dans des directions différentes. Deux heurtèrent un bord, traversèrent la table, et tombèrent dans des poches différentes.

Elle leva les yeux au ciel.

— Je vois que cette soirée sera une source d'embarras pour moi.

Il disposa de nouveau les boules.

— Balivernes. Plus que tout le monde, vous pouvez atteindre tout ce à quoi vous consacrez votre esprit.

Appuyant son menton sur sa main à l'extrémité de son bâton, il ajouta :

— Essayez de nouveau.

Elle se pencha sur la table avec sa queue, se sentant maladroite et gênée de se sentir observée par Cam à l'autre bout de la table de billard. Elle s'essaya une autre fois, et cette fois, sa queue rata complètement sa cible.

— Crotte, crotte, crotte!

Elle lança son bâton sur la table.

La poitrine de Cam rugit de rire, et l'or de ses yeux resplendit. Il alla la rejoindre au bout de la table. Saisissant son bâton abandonné, il le lui remit.

— Vous devez commencer par apprendre la position correcte. Puis-je?

Il se plaça derrière elle, appuyant légèrement sur son épaule de façon à ce qu'elle soit penchée en avant au-dessus de la table avec son bâton.

— La bonne position est essentielle à un bon coup de billard.

Il se pencha avec elle, son corps directement aligné derrière, suffisamment proche pour qu'ils se touchent presque, la chaleur de leurs corps s'entremêlant.

— Le billard est un jeu complexe. Toutefois, après avoir appris les règles et positions de base, vous devez aborder votre coup avec confiance.

Ses longs doigts robustes ajustèrent les siens sur le bâton.

— Restez concentrée et suivez la trajectoire de vos coups. Ayez toujours un air détendu et confiant, car cela vous aidera à frapper.

Le timbre suave de sa voix résonnait dans l'oreille de Charlotte.

— Vous devez vous sentir à l'aise, mais complètement solide et bien équilibrée.

Dans ce cas, elle commençait mal, car elle se sentait décidément déstabilisée et avait beaucoup trop chaud.

— Permettez-moi.

Les mains fermes de Cam se posèrent sur ses hanches, ajustant sa position.

— Oui, exactement comme cela. Très bien. Maintenant, posez bien les pieds.

Il s'agenouilla pour placer les pantoufles de Charlotte, ses doigts chauds frôlant ses chevilles enveloppées de bas.

— Vous devez visualiser ce que vous voulez voir arriver. Votre poigne doit être aisée et détendue. C'est tout.

Il se redressa et murmura à son oreille en passant la main sur son bras pour le détendre, provoquant la chair de poule sur son passage.

— Ne vous tendez pas à mi-chemin, sinon votre coup parfait va tomber à l'eau. Maintenant, montrez-moi votre prise.

Son odeur propre et musquée l'enveloppa d'un nuage de masculinité.

— Enrobez le bâton de vos doigts et tenez-le doucement.

Maintenant en proie à la chaleur et à l'agitation, elle cessa de vouloir respirer normalement. Enveloppant de ses doigts le bâton d'une façon lente et délibérée, elle ne put s'empêcher de sourire avec satisfaction en entendant Cam inspirer abruptement.

De ses lèvres, il lui toucha l'oreille.

— Vous devez tenir la tige avec des doigts souples, mais fermes. Si vous serrez trop fort, ces muscles seront tendus.

De ses doigts, il lui frôla l'avant-bras.

— Alors, vous perdriez tout contrôle.

Elle avait déjà perdu la maîtrise d'elle-même. Pivotant vers lui, elle s'appuya contre la table de billard, leurs corps à quelques centimètres l'un de l'autre, tout son être grisé et mourant d'envie de lui.

Les yeux de Cam scintillaient. Il lui prit les joues dans ses mains et se pencha pour frotter sa bouche ferme et douce contre la sienne. Lorsqu'il lui sépara les lèvres, il passa sa langue à l'intérieur de sa bouche, l'avançant et la retirant avec des mouvements sensuels et suggestifs. Ses mains lissèrent ses flancs et les contournèrent pour lui prendre les fesses en mouvements forts et assurés. La soulevant afin de l'asseoir sur le bord de la table de billard, il pilla sa bouche avec une intention impitoyable et essoufflante.

Le désir flamba à l'intérieur de Charlotte. Elle lui rendit fiévreusement ses baisers. Leurs langues dansèrent l'une avec l'autre, accompagnées de sucements et de mordillements. Elle passa les mains à travers la chevelure de Cam, saisissant avec abandon sa texture épaisse et rugueuse. Elle sentit un tiraillement à l'épaule de sa robe de jour puis l'air frais sur ses seins exhibés. Des mains chaudes se refermèrent sur eux alors que la bouche poursuivait son assaut. Charlotte s'arc-bouta en gémissant alors que les mains massaient sa tendre chair, ses doigts titillant les pointes qui se durcissaient.

Quelque part au-delà de leurs festivités, Charlotte entendit un cri de surprise étouffé. Elle se figea, horrifiée, en s'apercevant que quelqu'un était debout derrière elle, dans l'embrasure de la porte. Cam se retira, levant des yeux déconcentrés et embrumés par la passion. La reconnaissance puis le regret passèrent en éclair sur son visage. Automatiquement, il aida Charlotte à remonter le corsage de sa robe. D'un bond, elle descendit de la table de billard et, en pivotant, vit qui les avait surpris.

Miss Selwyn se tenait dans l'embrasure, sa parfaite petite bouche figée en « O ». Ses joues étaient rouges, mais le calme calculé de ses yeux bleus et froids décocha un frisson de peur à travers Charlotte. Miss Selwyn recula d'un pas, pivota sur elle-même et claqua la porte derrière elle en se précipitant hors de la pièce.

— Oh, mon Dieu. C'est fait, s'écria Charlotte. Elle va m'achever. En ce moment même, elle est probablement en train de dire à Hugh ce qui s'est passé.

— Non, elle ne le fera pas, dit-il avec une froide certitude. Miss Selwyn ne soufflera pas un mot à quiconque.

— Comment le savez-vous ? demanda-t-elle, désormais prise d'une panique grandissante. Nous ne savons pas ce qu'elle fera.

Fourrant les deux mains dans sa chevelure ébouriffée, il regarda fixement la porte.

— Miss Selwyn veut être marquise. Si elle confiait ce qu'elle a vu, je serais obligé par l'honneur de demander votre main. Ses chances d'épouser un marquis seraient alors plutôt gâchées, n'est-ce pas ?

Une douleur maladive se noua dans le ventre de Charlotte.

— Alors, vous envisagez d'épouser miss Selwyn ?

— Je voulais jadis l'épouser. Vraiment.

Se penchant pour rassembler les boules sur la table de billard, il parlait d'une manière quasi désinvolte.

— Je me croyais vraiment amoureux, mais elle a rejeté ma cour.

La gorge de Charlotte se serra. Elle était là, le corps vibrant encore de son toucher, le goût de lui encore sur ses lèvres, alors qu'il parlait de la femme qu'il aurait préféré prendre pour épouse. Et il disait ne l'avoir jamais aimée. Peut-être l'aimait-il encore. Elle imaginait une miss Selwyn resplendissante dans sa robe de mariée, puis elle la vit avec cette silhouette adorable et luxuriante gonflée par un enfant. L'enfant de Cam.

— Alors, dites-moi, Charlotte, que devrais-je faire ? Vais-je vous épouser pour sauver votre réputation ?

Il s'arrêta momentanément et la regarda dans les yeux avec au visage une expression insondable.

— Ou vais-je offrir le mariage à miss Selwyn pour l'empêcher de vous détruire ?

Chapitre 13

Arrachant sa chemise de lin blanche, Cam jura à haute voix et s'aspergea le visage, la tête encore baignée dans la suave odeur florale et la douce chaleur de la peau de Charlotte.

Debout devant le petit bassin de sa chambre, il accueillit avec plaisir le choc de l'eau froide contre sa peau chaude, souhaitant que cela lui calme les sangs. Il se tendait encore en songeant à la façon dont elle avait gémi et tressailli sous son toucher. Il s'aspergea de nouveau le visage, se frictionnant la nuque de ses mains mouillées, tentant de calmer les réactions de son corps.

Il avait eu raison à propos de sa réaction à la passion. Elle avait réagi à son toucher avec une ferveur si impatiente que sa queue s'était gonflée jusqu'à devenir douloureuse. Il avait été terriblement près de relever ses jupes et de lui prendre son innocence sur place, sur la table de billard. Dans l'ensemble, la séduction s'était très bien passée. Jusqu'à ce que Margaret les interrompe. Cam grogna. Il avait enfin amené Selwyn à discontinuer les attentions envers Charlotte, et maintenant, l'intolérable sœur de l'homme gâchait ses plans minutieux.

Le lendemain de leur désagréable rencontre, Cam s'était adressé à Selwyn en lui offrant des excuses convenables et bien senties. Il avait attribué ses commentaires impolis à l'alcool, et comme il s'y attendait, Selwyn avait accepté ses excuses avec son habituelle grâce bienveillante. Mais cela n'allait pas être aussi facile avec la sœur de l'homme. Margaret était une arriviste calculatrice qui possédait maintenant des munitions qu'elle pouvait utiliser contre lui. Elle allait sans aucun doute passer bientôt à l'action.

Comme si ses pensées l'avaient convoquée, Margaret se glissa dans la chambre sans frapper. Refermant la porte, elle y appuya le dos. La coupe généreuse de son décolleté carré révélait la douce couleur crème de ses épaules et la plénitude de sa gorge abondante, tout comme le pendentif d'émeraudes profondément enfoui dans la vallée entre ses seins. Le métal frais de ses yeux parcourut le torse nu de Cam avec une appréciation évidente.

Saisissant un mouchoir de poche, il s'essuya vigoureusement le visage et le cou.

— Vous ne devriez pas vous trouver ici.

Elle s'avança vers lui d'une démarche assurée, comme un gros chat furtif se rapprochant de sa proie en croyant que le résultat de la chasse vient de changer en sa faveur. Tendant le bras pour passer une main fraîche sur son dos nu, elle dit :

— J'aimerais me marier à l'église St George Hanover Square.

S'écartant de sa portée, il serra sa chemise sur sa tête.

— Je vous souhaite bonne chance.

— Durant la saison, je crois, devant les meilleures familles.

Elle le contourna, la douce mousseline de sa robe couleur crème flottant sur ses courbes féminines, et s'installa en douce sur son lit.

L'inquiétude monta dans son torse et derrière ses épaules. Si quelqu'un découvrait Margaret seule avec lui dans sa chambre, elle serait tout à fait compromise, et son frère aurait tout à fait le droit de s'attendre à ce qu'il la demande en mariage.

— Il faudra que ce soit une grande cérémonie élaborée. Lorsque je deviendrai votre marquise, je veux faire l'envie du beau monde.

— Si je me souviens bien, je vous ai offert cette position il y a quatre ans, et vous avez refusé.

Il tendit les mains vers ses bottes.

— Oui, et vous êtes encore plus attirant maintenant qu'à l'époque.

Il s'assit sur un fauteuil de velours rouge, près de la cheminée éteinte, pour enfiler ses bottes.

— Je suis certain que ce nouvel attrait est directement relié au titre que j'ai acquis depuis que je vous ai offert le mariage.

— Pourquoi ne m'avez-vous pas dit que vous étiez censé hériter du titre? dit Margaret alors que sa main pâle et délicate se promenait sur son décolleté. Ma réponse aurait été différente.

Il eut un rire amer.

— Sans doute.

Mettant ses bottes, il se releva.

— Vous croyiez vous marier par amour ? demanda-t-elle en écarquillant les yeux. Vous attendiez-vous à ce que je vous accepte tel quel, sans aucun titre ? Les gens de notre espèce ne se marient pas par amour.

Secouant la tête, il se dirigea vers la porte.

— Au revoir, Margaret.

— Je vais dire à tout le monde ce que j'ai vu dans la salle de billard.

Ses paroles étaient acérées, son ton suave et séduisant ayant été abandonné.

— Vous serez obligé de l'épouser.

Cam ouvrit la porte et fit une pause pour se retourner vers Margaret. Il vit une femme bien formée, aux courbes agréables et au visage adorable. Jadis il l'avait désirée, impatient de coucher avec elle, mais en la regardant maintenant, il ressentait un profond soulagement du fait qu'elle avait rejeté sa cour si longtemps auparavant.

— Vous croyez que je préfère vous épouser au lieu de devoir demander miss Livingston en mariage ?

— C'est une femme informe et plutôt disgracieuse. Je crois me rappeler que vous avez un appétit pour les courbes.

Margaret jouait avec le pendentif qui tombait au creux de la vallée entre ses seins.

— Si j'étais votre épouse, je serais fort accommodante. Je vous permettrais toute liberté.

Le dégoût courut sur sa peau.

— Hélas, miss Selwyn, je suis maintenant marquis. Et en tant que tel, je dois accorder une grande considération à la lignée ancestrale de mon épouse, dit-il en durcissant le ton. Miss Livingston est la fille d'un baron, tandis que vous, j'en ai bien peur, êtes roturière à tous les points de vue.

Margaret pâlit.

— Comment osez-vous… ?

— Oh, j'ose, dit-il en sortant de sa chambre et en claquant la porte derrière lui.

• • •

Après le dîner du lendemain soir, les gentlemen se retirèrent vers leur salle de jeu. Charlotte ne savait pas grand-chose de cette rencontre impromptue, sinon que les vieux amis de l'université avaient hâte de s'y adonner et que Hugh avait été invité. Pour accroître leur nombre, quelques hommes de la petite noblesse locale s'y joignaient aussi.

C'était un épisode bienvenu lorsque miss Selwyn se retira pour la soirée, prétextant un mal de tête, probablement parce que Cam ne voulait pas la voir lui faire de l'œil. Au grand soulagement de Charlotte, la femme avait apparemment choisi d'ignorer ce qu'elle avait vu dans la salle de billard, se comportant aux repas comme si de rien n'était. Ce soir-là, heureuse de passer du temps seule avec Willa dans le salon de la duchesse, Charlotte se réjouit de cet arrêt de la présence grinçante de miss Selwyn.

— Ne trouves-tu pas que mes pieds ressemblent à ceux d'une truie ? dit Willa en se plaignant de ses membres enflés.

Charlotte l'aida à les remonter.

— Tu dois les élever, c'est tout, dit-elle en cherchant à l'apaiser.

Mais elle devait s'avouer qu'elle n'avait jamais vu des pieds aussi gonflés. La grossesse avait un effet néfaste même sur la belle duchesse.

— Je suis certaine que le duc te trouve plus adorable que jamais. Il te regarde encore comme s'il ne pouvait pas tout à fait croire en sa bonne fortune.

Willa se mit à rire, ses yeux couleur de chocolat scintillant à la mention de son mari.

— Je serai sans aucun doute à l'abri de ses attentions, ce soir. Je m'attends à ce qu'il ait un sérieux verre dans le nez lorsque la soirée des gentlemen arrivera à terme.

— Je n'ai jamais entendu dire que Hartwell abusait de l'alcool, dit Charlotte, assise dans un confortable et grand fauteuil devant Willa.

— Non, mais ce soir, ils jouent à un vieux jeu d'alcool qui date de leur période universitaire, dit Willa en secouant la tête avec indulgence. C'est bête, vraiment. Aucun d'eux ne peut cuver son vin comme ils le faisaient tous il y a 10 ans.

Charlotte sourit à la pensée de Cam en état d'ébriété.

— Je suppose qu'il est vrai que la plupart des hommes ne se détachent jamais du garçon en eux.

— Ils prennent cela plutôt au sérieux. Hart dit que Cam pouvait toujours boire plus que tous les autres.

Willa remua son corps gonflé, tentant de se mettre à l'aise.

— Apparemment, mon cousin est déterminé à démontrer qu'il peut encore tous les battre. Hart dit qu'il n'a jamais vu Cam le moindrement éméché.

— Je suppose que Cam peut faire tout ce qu'il entreprend.

— Imagine donc que c'est ce gentil David Selwyn qui a suggéré le jeu, dit-elle en levant les yeux au ciel. Et il est censé être le garçon calme et rationnel de leur petit groupe.

Charlotte s'adossa en entrecroisant ses doigts sur sa poitrine.

— Je suis seulement reconnaissante pour le répit par rapport à son adorable sœur.

— Elle ne cache aucunement son intérêt pour mon cousin.

— Et elle est si belle que je voudrais lui arracher les yeux.

Willa se mit à rire.

— Charlotte!

— Ou peut-être devrais-je seulement lui arracher les cils, un à la fois.

La jalousie lui brûlait la poitrine.

— Bien sûr, je ne le ferai pas. Je vais plutôt rester tranquille et la regarder séduire Cam.

Frottant son ventre distendu, Willa dit :

— Es-tu certaine que vous ne pouvez aucunement vivre ensemble, vous deux?

Charlotte fit la grimace.

— Si j'avais une façon de sortir de ma fâcheuse situation, crois-tu que je laisserais Cam aux prises avec ce bagage?

— Je suppose que non, dit Willa en bâillant. Tout de même, je trouve plutôt désagréable l'idée que Cam en épouse une autre que toi.

— Tu es fatiguée, dit Charlotte en se dressant sur ses pieds. Je devrais te laisser dormir.

— Non, reste, protesta Willa, dont les paupières se fermèrent aussitôt en papillonnant.

Charlotte lui posa une bise sur la joue.

— Tu as besoin de te reposer. Après tout, ton corps est au beau milieu d'un important processus.

— Mmm, dit Willa d'une voix pâteuse. Je suis en train de fabriquer l'héritier du duché. J'espère qu'il ressemblera à Hart.

— Et si c'est une fille?

— Il va terriblement la gâter.

Ses yeux se fermèrent en papillonnant.

Charlotte demanda à Clara d'aider sa maîtresse à se mettre au lit. Laissant Willa aux soins de sa servante, elle se retira dans ses appartements pour travailler à l'essai portant sur le village manufacturier de Cam.

Elle comptait s'y rendre à nouveau dans trois semaines, lors d'un pique-nique organisé pour célébrer le succès de la manufacture. Elle anticipait l'occasion de parler aux travailleurs, aux écoliers et aux villageois.

Assise au bonheur-du-jour, elle se plongea rapidement dans le travail. Beaucoup plus tard, après avoir rédigé et réécrit bien des phrases, elle déposa sa plume d'oie pour étirer ses doigts crampés et décida de sonner pour qu'on apporte le thé. Tirant distraitement le cordon, elle devint de nouveau rapidement absorbée dans son écriture. Après un moment, s'apercevant que Molly n'avait pas répondu à son appel, elle accueillit l'occasion d'étirer ses jambes. S'étirant le cou, Charlotte se dirigea vers la cuisine pour demander du thé en personne.

Sur son chemin, elle passa devant la salle où les rires tapageurs et les voix aiguës suggéraient que le jeu d'alcool des hommes était en cours. S'approchant de la cuisine, Charlotte entendit un léger rire et une conversation. Le cuisinier, Molly et quelques autres membres du personnel de la maison étaient attablés devant une tasse de thé et quelques biscuits. Nathan était assis parmi eux.

Debout dans l'ombre, Charlotte vit son frère flirter légèrement avec une rousse potelée qu'elle reconnut : c'était la servante de miss Selwyn, dont les joues rousselées luisaient de plaisir à cause de la prévenance de Nathan. Certaines des servantes plus audacieuses lançaient des regards appréciateurs à son frère et des regards noirs à la rousse grassouillette qui avait provoqué son intérêt. Nathan attirait toujours plus que sa part d'attention féminine.

Faisant une pause pour siroter son thé et s'offrir un biscuit entier, Nathan semblait à l'aise avec les domestiques et dégageait tout de même un sentiment de confiance en soi et d'autorité dans ses interactions avec eux. Elle sentit une lourde tristesse dans sa poitrine en voyant que le sort avait placé l'un de ses frères à la table des domestiques tandis que l'autre était en compagnie d'un duc et d'un marquis à quelques pièces de là.

— Oh, miss, dit Molly en bondissant sur pied lorsqu'elle repéra Charlotte. Avez-vous besoin de quelque chose?

Les autres personnes à la table commencèrent à se lever aussi.

— S'il vous plaît, soyez à l'aise, dit Charlotte en leur faisant signe de rester assis. Je suis venue cueillir une tasse de thé. Dès que je l'aurai prise, je vous laisserai la place.

Le cuisinier se précipita pour préparer la bouilloire.

— Dès que ce sera prêt, je le ferai livrer à votre appartement par Molly, miss.

— Ce ne sera pas nécessaire, dit Charlotte en s'avançant dans la pièce. Je vais tout simplement l'attendre, si vous n'y voyez pas d'objection.

Les membres du personnel échangèrent des regards gênés, ne sachant pas trop quoi penser du fait que la fille d'un baron se trouvait dans la cuisine avec eux. Elle sourit, tentant de les mettre à l'aise.

— Je suppose que vu leur état, les gentlemen n'auront pas terriblement besoin de vos services ce soir.

La plupart des membres du personnel attablés sourirent tout en échangeant des regards incertains.

— Oui, ils ont déjà un verre dans le nez, affirma Nathan.

— Qui est en train de gagner, si je puis vous le demander? Nathan fit un geste vers l'un des valets de pied.

— Vous devrez demander cela à ce vieux Lionel. C'est lui qui est de service dans la salle de jeu, ce soir.

Lionel gonfla le torse.

— Oui, miss. Le duc se débrouille bien. Mais le marquis a eu quelques tours de malchance. Il est saoul comme une botte, si vous me permettez l'expression. Nous venons de le transporter dans son appartement. Il est dans les vapes.

La servante de miss Selwyn se leva en entendant le nom de Cam, ses taches de rousseur brunes contre ses joues livides.

— Oh, j'ai oublié. Je dois y aller.

— Mais ta maîtresse s'est retirée avec un mal de tête il y a plusieurs heures, n'est-ce pas? demanda Charlotte.

— Ah, ou… oui, miss, dit la servante, le menton tremblant. Seul… Seulement, je dois vraiment y aller!

Elle sortit de la pièce en courant, sa silhouette ronde bougeant avec une étonnante rapidité. Elle paraissait étrangement nerveuse, mais Charlotte se dit alors que travailler pour Margaret Selwyn suffisait pour laisser une personne à cran.

Quelques minutes plus tard, Charlotte retourna à ses appartements avec une tasse de thé fumante. En s'approchant de la salle de jeu, elle vit Selwyn debout dans le couloir en compagnie de la servante de miss Selwyn, un regard de consternation au visage.

— Vous devez venir, monsieur, dit la fille avec beaucoup d'insistance. Je cherche miss Selwyn depuis une demi-heure, et je ne la trouve nulle part.

Charlotte s'arrêta et se cacha derrière le coin. Le soudain mouvement fit déborder son thé de la tasse, et quelques gouttes du liquide bouillant coulèrent sur sa main. Elle se mordit la lèvre pour s'empêcher de crier. Charlotte redressa la tasse de thé et souffla sur sa main pour rafraîchir la légère brûlure.

Pourquoi la servante aurait-elle menti à Selwyn? Elle n'avait sûrement pas passé la dernière demi-heure à chercher sa sœur. Elle avait quitté la cuisine moins de 10 minutes plus tôt. Un vague sentiment d'alarme la prit aux entrailles.

— Elle est peut-être dans la bibliothèque, dit Selwyn à la servante. Il est possible qu'elle soit en train de chercher un livre à lire.

— Ah… n-non, monsieur. J'ai cherché là, répondit la servante avec une évidence incertitude. Oui, je l'ai fait, monsieur, j'ai vérifié la bibliothèque, vraiment.

Charlotte grimaça. La servante était une fieffée menteuse, maladroite en plus. Elle ne pouvait avoir vérifié dans la bibliothèque depuis son départ de la cuisine.

— Les seuls endroits où je n'ai pas cherché, monsieur, ce sont les chambres à coucher.

Ses paroles manquaient de naturel; on aurait dit qu'elles avaient été répétées à l'avance.

— Mais je croyais que tu avais dit avoir vérifié la chambre de ma sœur…

Selwyn s'arrêta abruptement et pâlit. Il se retourna vers la porte derrière laquelle les hommes ivres et tapageurs continuaient.

Tous sauf Cam.

— Je suis sûr qu'il ne s'est rien passé de fâcheux.

Mais Selwyn ne paraissait pas convaincu. Ses yeux vrillèrent ceux de la servante.

— Dis-moi encore où tu as vérifié.

Brusquement, Charlotte s'en rendit compte : miss Selwyn manigançait quelque chose, et la servante bornée était sa complice. Que pouvait bien comploter cette avide jeune femme ? Elle revit mentalement les événements de la soirée. Margaret Selwyn ne voulait qu'une chose : Cam.

Les paroles du valet de pied lui revinrent à la mémoire : « Le marquis est saoul comme une botte, il est dans les vapes. » Pourtant, on n'était qu'en soirée. Willa avait dit que Cam pouvait très bien tenir l'alcool et que Hart n'avait jamais vu Cam en état d'ivresse. Et David Selwyn avait organisé la partie. Selwyn ? Pouvait-il être complice du stratagème de sa sœur ? Elle écarta immédiatement cette idée. Il avait paru sincèrement perplexe et inquiet en cherchant à savoir où se trouvait sa sœur.

Tâchant à grand-peine d'organiser ses pensées, elle s'obligea à réfléchir. Où était Cam ? Dans son lit. Et Selwyn semblait décidé à aller trouver sa sœur dans les chambres à coucher. Un frisson la parcourut. Avec un picotement aux jambes, elle se retourna et s'en revint presque en courant jusqu'à la cuisine, essayant d'équilibre la tasse de thé et d'éviter d'en renverser à nouveau. Elle s'arrêta brusquement en entrant dans la cuisine. Le personnel leva les yeux, étonné de la revoir parmi eux.

— Votre thé est-il bien préparé, miss ? demanda Cook.

— Quoi ? Oh, très bien, merci, dit-elle en déposant le thé tout en cherchant Nathan.

Elle trouva son regard fixé sur elle, un sourcil relevé.

— J'ai bien peur que mon bonheur-du-jour se soit déplacé de façon fort inconfortable, et j'ai besoin d'une assistance immédiate pour le redresser.

Elle se concentra sur Nathan, faisant semblant de ne pas remarquer lorsque l'un des valets de pied se redressa.

— Monsieur le cocher ? J'ai le plus urgent besoin de vos services.

Nathan ne sourcilla qu'une seconde. Dès qu'il se leva, un masque neutre l'avait remplacé.

— Bien sûr, miss Livingston, dit-il, la voix teintée d'un sarcasme qu'elle seule pouvait détecter.

Lorsqu'ils furent hors de portée de voix des autres et en train de monter l'escalier à la hâte, Nathan demanda avec insistance :

— De quoi s'agit-il ?

— Je n'en suis pas certaine.

Elle se sentait hors d'haleine, presque étourdie.

— Mais je crois que miss Selwyn mijote quelque chose et qu'il faudrait que tu m'accompagnes jusqu'à la chambre de Cam.

Nathan fronça les sourcils.

— La chambre de Camryn ? Pourquoi donc ?

— Aide-moi, c'est tout, s'il te plaît.

Ses mains tremblaient alors qu'elles glissaient le long de la rampe en bois sculpté.

— Je t'expliquerai tout plus tard.

Quand ils atteignirent la chambre de Cam, Charlotte ouvrit la porte sans frapper, priant pour qu'ils ne soient pas arrivés trop tard. La scène qui les accueillit la troubla, même si elle confirmait ses pires soupçons.

Vêtue d'un simple fourreau diaphane qui mettait en valeur ses seins abondants et à peine vêtus, miss Selwyn était confortablement installée dans le lit de Cam, ses longues boucles dorées étalées sur l'oreiller comme les ailes d'un ange. Le bras flasque de Cam était étendu sur sa taille, mais Charlotte vit immédiatement qu'il n'était pas éveillé.

— Alors, ça, c'est trop… commença Nathan.

En les apercevant, miss Selwyn se redressa d'un coup.

— Pourquoi diable… ?

Elle plissa d'abord ses yeux gris, mais ensuite, elle leva le menton, exposant une étendue crémeuse de cou alors que la satisfaction s'installait sur les adorables contours de son visage.

— Eh bien, miss Livingston, comme vous le voyez, le marquis et moi ne pouvons nous détacher l'un de l'autre.

Elle s'étira et se blottit davantage sur le corps inerte de Cam.

— Et maintenant que j'ai été si scandaleusement compromise, les bans seront bientôt publiés.

L'indignation obscurcit la vision de Charlotte.

— Compromise ? dit-elle, les narines évasées. Je ne sais pas ce que vous voulez dire, miss Selwyn. Je n'ai rien vu. Qu'en est-il de vous, monsieur le cocher ?

— Moi ? dit Nathan en haussant les sourcils. Rien du tout, miss Livingston.

Des pas résonnèrent dans le corridor. Charlotte pencha la tête hors de la porte et vit Selwyn, Hartwell et Hugh qui se dirigeaient vers eux. Claquant la porte, elle se retourna rapidement vers Nathan.

— Dépêche-toi et aide-moi à l'amener dans le vestiaire de Cam avant qu'ils la découvrent ici.

Comme il ne bougeait pas immédiatement, elle le poussa vers le lit.

— Dépêche-toi, Nathan, ne reste pas là. Aide-moi à la déplacer.

Elle saisit le couvre-lit et le tira de sous la femme. Le mouvement provoqua un grognement de la part de Cam, qui bougea dans son sommeil d'ivresse.

— Éloigne-toi de moi, bas-bleu maigrichon! cracha miss Selwyn en essayant de saisir la couverture pour se protéger.

Nathan avança en la surplombant, les traits éclairés par l'amusement.

— Allons, miss Selwyn. Ne créez pas de problèmes. Il tendit le bras pour la sortir du lit.

— Ne me touche pas! dit-elle en reculant, la panique luisant dans ses yeux. Tu n'es qu'un domestique. Comment oses-tu mettre les mains sur ma personne?

Nathan se mit à rire, mais ce n'était pas un rire amusé.

— Ce ne serait pas la première fois, hein, Maggie?

Miss Selwyn haleta lorsqu'il la traîna comme si elle ne pesait rien, un dangereux éclat scintillant dans les yeux.

— Et d'après mon souvenir, vous ne protestiez pas la dernière fois que j'ai posé les mains sur vous. Vous gémissiez peut-être, mais ce n'était certainement pas pour vous plaindre.

Charlotte n'avait pas le temps d'être scandalisée par les paroles de son frère.

— Dépêche-toi, Nathan.

Elle les poussa tous les deux vers le vestiaire de Cam. Elle parvint à tous les faire entrer, claquant la porte du vestiaire alors même que la porte de la chambre de Cam s'ouvrait d'un coup, suivie par les bruits de voix étouffées.

— Il est seul.

Cela ressemblait à la voix de Selwyn, de toute évidence soulagée.

— Monsieur, nous devons la chercher, dit une voix aiguë et incertaine.

Celle de la servante de miss Selwyn. Charlotte tourna la tête vers Margaret, qui lui lançait un regard furieux avec un air de pure haine dans les yeux. D'une main, Nathan tenait fermement miss Selwyn par la taille tandis que l'autre restait serrée sur sa bouche pour la garder silencieuse. À ce moment, miss Selwyn se débattait et produisait un bruit sourd derrière sa main, les yeux hurlant ce qu'elle pensait.

— Qu'est-ce que c'était? dit la voix de Selwyn.

La voix sombre du duc de Hartwell lança :

— On dirait que quelqu'un est enfermé dans le vestiaire.

Charlotte paniqua alors que des pas cliquetaient vers eux. Comment allait-elle expliquer ce qu'ils faisaient tous les trois dans la petite chambre obscure? Elle regarda la petite tenue de miss Selwyn. Son interférence avec le plan de la femme serait vaine si les hommes trouvaient Margaret à moitié nue dans le vestiaire de Cam. La chaleur monta dans la poitrine de Charlotte. Elle ne pouvait pas — elle n'allait sûrement pas — laisser Margaret s'emparer ainsi de Cam.

Des pas s'arrêtèrent devant la porte du vestiaire. Charlotte regardait frénétiquement les alentours, cherchant désespérément une façon de se sortir de cet imbroglio. N'en voyant aucune, elle inspira profondément, ouvrit la porte du vestiaire et sortit dans la chambre à coucher du marquis de Camryn.

Chapitre 14

Quatre paires d'yeux troubles regardèrent Charlotte, ébahies.

Les hommes rougissaient, vêtus légèrement de travers à cause des excès de la soirée. Les yeux ronds de Selwyn étaient teintés de soulagement, vraisemblablement parce que la lady qui passait du placard au désastre n'était pas sa sœur. Les sourcils du duc se soulevèrent, son regard passant rapidement de Charlotte à Cam. La servante de miss Selwyn avait la mâchoire pendante. Mais c'était l'expression du visage de Hugh qui l'inquiéta véritablement, surtout que la rougeur éthylique de son visage rougeaud prenait en fonçant une menaçante teinte pourpre.

Cam choisit ce moment pour se mettre à remuer.

— Mais enfin, qu'est-ce qui... ?

Il grogna et cligna des yeux à maintes reprises, le visage écrasé par la confusion, lorsqu'il vit cinq paires d'eux qui le regardaient fixement. C'est à ce moment que Charlotte réalisa que Cam ne portait aucun vêtement. Lorsqu'elle avait tiré le couvre-lit pour sortir miss Selwyn du lit, elle avait découvert sans s'en apercevoir la plus grande partie de l'impressionnante anatomie de Cam.

Sous leurs yeux fascinés, il remua comme un chat paresseux, son corps nu et sculpté luisant sous la lumière du feu qui flirtait avec lui. La housse de couvre-lit penchait dangereusement bas, révélant l'ombre alléchante de poils qui entouraient sa virile anatomie.

Cam s'en aperçut juste à temps.

— Sacrebleu!

Il se dressa sur son séant, saisissant le couvre-lit pour se couvrir. Le mouvement soudain parut lui causer une grande douleur. Grimaçant, il prit sa tête avec un grognement.

Hugh s'avança, le visage presque aubergine.

— Oui, sacrebleu, en effet! dit-il d'une voix étranglée, proche d'une éruption complète. Peut-être voudrais-tu nous expliquer pourquoi ma sœur est ici dans ta chambre avec toi, avec ton…

Il fit un geste agité vers l'évidente petite tenue de Cam.

Cam plissa les yeux.

— Ta sœur?

Son regard flotta vers elle, et la surprise se manifesta sur son visage.

Le regard venimeux de Hugh suggérait qu'il aurait aimé à la fois abattre Cam en plus de le transpercer de la lame la plus aiguisée et la plus longue possible.

— Peut-être voudrais-tu nous expliquer la présence de Charlotte dans ta chambre.

— Je suis venue lui apporter un peignoir, lança-t-elle, sachant à quel point son excuse paraissait faible.

Hartwell, Selwyn et Hugh regardèrent tous les trois ses mains vides. La servante de miss Selwyn regardait attentivement dans toute la pièce, probablement à la recherche de sa maîtresse.

— Je ne l'ai pas trouvé, dit Charlotte d'une voix ténue, répondant à sa propre question muette.

Un long silence inconfortable s'installa dans la chambre. Charlotte cherchait à grand-peine une façon de sauver la situation, mais malgré tous les scénarios alternatifs et les excuses désordonnées qui se bousculaient dans sa tête, rien ne formait une pensée cohérente.

Elle respira profondément et s'avança, priant pour qu'aucun autre bruit ne sorte du placard.

— Je suis venue voir comment était mon fiancé.

Tous les yeux de la pièce se dirigèrent vers elle.

— Ton fiancé? bafouilla Hugh.

— Oui, cria le cœur de Charlotte alors qu'elle tentait d'infuser ses paroles d'une calme indignation. Nous étions censés te demander ton approbation ce soir, Hugh. Mais voyant que vous aviez tous un verre dans le nez, cela paraissait plutôt inutile. En vérité, vous devriez tous avoir honte de votre comportement.

Elle cligna des yeux à maintes reprises, tentant d'y faire monter des larmes, ce qui, considérant sa très réelle détresse, n'était pas tout à fait difficile.

— J'espère que vous êtes contents de vous. Vous avez complètement gâché notre surprise.

Les sourcils fournis de Hugh se serrèrent.

— Votre surprise?

— Oui, dit-elle en mentant et en serrant les mains ensemble pour ne pas se gratter derrière les oreilles. Pourquoi Willa t'a-t-elle invité ici soudainement? C'était pour notre grande annonce.

Hugh était bouche bée.

— Toi et le marquis êtes parvenus à vous entendre?

— Demande à Sa Grâce si tu doutes de ma parole.

Elle redressa les épaules, se disant qu'il faudrait parler à Willa avant Hugh.

— Est-ce vrai, Camryn? demanda le frère de Charlotte d'un ton abrupt, son visage prenant une teinte de rouge moins inquiétante. As-tu fait à ma sœur une offre de mariage?

Un calme presque insupportable était suspendu au-dessus de la chambre alors qu'ils regardaient tous Cam avec impatience. Charlotte se frotta les bras, priant pour qu'il soit suffisamment dégrisé pour saisir la nature sinistre de leur fâcheuse situation.

Le nuage de confusion dans les yeux vert ambre de Cam fit place à un éclat malicieux.

— Ah, oui.

Souriant comme un chat du Cheshire, il tendit une main vers Charlotte.

— Félicitez-moi, gentlemen. Miss Livingston a accepté de faire de moi l'homme le plus heureux d'Angleterre.

Charlotte eut les jambes flageolantes de soulagement. Déterminée à continuer de jouer son rôle, elle écarta d'un geste la main que Cam lui offrait.

— Revenez à vous, milord. Vous avez un verre dans le nez et vous n'êtes pas dans un état suffisamment décent pour être vu par qui que ce soit en ce moment.

La voix de Charlotte tremblait, mais les hommes semblèrent prendre à cœur sa remontrance, sauf Cam, qui tenta fort médiocrement de paraître penaud.

Hartwell se racla la gorge.

— Eh bien, je dirais que cela exige un verre.

Il s'inclina vers Charlotte.

— En l'honneur de vos fiançailles, bien sûr, miss Livingston.

— Bien entendu, dit-elle sèchement.

Tout cela semblait faire son effet sur Hugh, qui s'apercevait que le mariage qu'il avait ardemment espéré se réalisait après tout.

— Eh bien oui, en effet.

Un large sourire lui fendit le visage, son teint revenant à un rouge presque naturel.

— Cela exige presque sûrement un verre de célébration. Charlotte, vous venez, j'imagine ?

— J'ai eu suffisamment d'émotions pour la soirée. Je vais me retirer dans mes appartements, dit-elle. Mais que diriez-vous de prendre un verre en notre honneur, gentlemen ? Vous ne semblez toutefois pas avoir besoin d'une excuse pour vous en prévaloir.

Elle continuait parfois de lancer un regard vers la porte du vestiaire. Elle avait besoin de faire sortir miss Selwyn de la chambre de Cam avant que cette femme cause d'autres ennuis.

Selwyn se retourna pour suivre les deux autres hommes vers la sortie.

— Mes sincères félicitations, Camryn. Vous êtes un homme chanceux, vraiment.

En sortant de la chambre, il lança un sourire chaleureux en direction de Charlotte tout en laissant la porte légèrement entrouverte pour protéger les derniers lambeaux de sa réputation.

Le regard chaud et doré de Cam éclata, et son sourire insouciant s'élargit.

— Ma chère, je voulais vous épouser de toute façon. Je suis flatté que vous vous donniez tous ces ennuis pour me compromettre.

— Oh, Cam. Je ne savais pas quoi faire d'autre.

Une profonde détresse lui serra l'estomac.

— Maintenant, vous allez être inextricablement lié à moi.

Il s'adossa à son lit, les muscles aux lignes pures de ses bras fléchissant sous l'effort.

— Charlotte, j'aimerais plus que tout d'être inextricablement lié à vous.

Il lui tendit la main, ses yeux dansants remplis d'intention flirteuse.

— Et je l'avoue, je ne verrais aucun inconvénient à être complètement liée à vous dès à présent, dit-elle.

Nathan sortit alors en fonçant du vestiaire avec un regard meurtrier.

— Gardez votre caleçon, Camryn, grogna-t-il. À moins que vous vouliez que son autre frère achève de vous tuer.

Cam releva brusquement le front.

— Que fais-tu dans mon vestiaire?

Il fut bouche bée lorsqu'une miss Selwyn ébouriffée et à peine vêtue fit irruption en culbutant à la suite de Nathan.

Charlotte repéra la robe de la femme soigneusement repliée sur un tabouret auprès du lit. Elle poussa un soupir de soulagement en voyant que personne d'autre ne l'avait remarquée avant. Elle saisit la robe et la lança à miss Selwyn avant de pousser de nouveau la femme dans le vestiaire.

— Qu'est-ce que vous croyez donc faire? lança miss Selwyn, ses boucles dorées habituellement parfaites maintenant de travers.

D'une claque, elle tenta de repousser les mains de Charlotte.

— Vous n'allez pas m'enfermer à nouveau là-dedans.

— Ne me tentez pas.

Charlotte donna à Margaret une dernière poussée dans le vestiaire.

— Couvrez-vous. Je ne veux pas vous voir parader devant mon fiancé avec l'allure d'une traînée ordinaire.

— Vous ne vous en tirerez pas ainsi, dit miss Selwyn, la voix tremblant de furie.

— Ne me poussez pas. Vous ne savez aucunement de quoi je suis capable.

Charlotte claqua la porte du vestiaire sur le visage rouge et indigné de la femme.

Cam s'affala de nouveau contre les oreillers gonflés.

— Je dois être en train de rêver. Ou bien je suis encore ivre mort.

Il lança un regard grivois à Charlotte.

— Puisque rien de cela n'est vraiment en train d'arriver, autant profiter de l'hallucination.

Il ouvrit le couvre-lit, lui faisant signe de se rapprocher, révélant un attirant éclat de chaude et dure chair de cuisse masculine parsemée de poils ambre.

— Il n'est jamais trop tôt pour anticiper le lit conjugal, et je ne peux vous dire à quel point j'ai hâte de vous voir débarrassée de tous ces vêtements gênants.

Nathan rougit.

— Ce n'est pas un rêve, maudit animal.

Il commença à marcher vers Cam.

— Et je vais vous donner une raclée qui vous réveillera fort certainement.

Réprimant un rire, Charlotte saisit le bras de Nathan.

— Il est saoul, Nathan. Laisse-le faire.

Son frère hésita, regardant l'autre homme comme pour l'évaluer. En réaction, Cam souleva un sourcil d'une façon enjouée.

Ce comportement étrange suscita un sourire réticent au visage de Nathan.

— Je crois qu'il est plus que saoul, Lottie.

— Que veux-tu dire?

— Il semble que notre rusée miss Selwyn lui ait donné quelque chose d'un peu plus fort.

La violence bouillonna dans sa poitrine.

— Pourquoi…? Je… je vais l'étrangler!

Elle fonça vers la porte du vestiaire.

La reprenant par la taille, il la ramena à son point de départ.

— Calme-toi, petite sœur. Ça suffit. Tu as remporté cette manche. Laisse faire l'adorable miss Selwyn.

La porte du vestiaire s'ouvrit. Complètement vêtue, miss Selwyn en sortit, tapotant ses cheveux pour le remettre en place.

— Que lui avez-vous donné, sorcière?

Charlotte se jeta vers elle, mais Nathan resserra son emprise sur sa taille.

Reculant, miss Selwyn fila vers la porte.

— Reste loin de moi, toi, avec la peau et les os.

Charlotte se dégagea et fonça vers elle, faisant claquer la porte au moment même où miss Selwyn la tirait.

— Vous n'irez nulle part avant de nous dire exactement ce que vous avez fait à Cam.

— Rien.

Levant les mains de façon défensive, elle recula.

— Je le jure.

— Dites-nous seulement ce qu'elle veut savoir, miss Selwyn, dit Nathan. Votre stratagème est plutôt gâché.

Un regard fugace d'incertitude lui passa sur le visage.

— Très bien, dit-elle en haletant. Ce n'était qu'une ridicule potion dormitive. Il ira bien demain matin.

Elle fit à Charlotte un regard dédaigneux.

— Bien sûr, jusqu'à ce qu'il s'aperçoive qu'il est fiancé à vous.

Charlotte crut entendre ricaner Nathan. Lorsqu'elle lui lança un regard furieux, il leva les mains en signe d'innocence.

Miss Selwyn se redressa.

— Il m'aimait, vous savez. Il vénérait mon corps.

Elle lança un regard dédaigneux à la silhouette grande et mince de Charlotte.

Charlotte voulut la rouer de coups.

— Il vous vénérait à tel point que vous aviez besoin de lui tendre un piège pour qu'il vous épouse ?

— Il était peut-être résistant au départ, dit miss Selwyn, dont le regard gris et froid la transperça. Mais je vous assure qu'une fois dans mon lit, je l'aurais conquis. Je suis précisément le genre de femme qu'un marquis devrait avoir. Je serais une marquise parfaite.

Son rire glaça l'air.

— Croyez-vous vraiment l'avoir sauvé en l'éloignant de moi ?

Charlotte grimaça. En miss Selwyn, Cam aurait eu la parfaite femme politique — belle, intelligente, engageante. Cam aurait fini par être conquis. En essayant de le sauver, Charlotte avait peut-être placé Cam sur une trajectoire pour laquelle il allait bientôt la détester.

— Croyez-vous qu'une femme aux idées radicales comme les vôtres aidera à faire avancer sa carrière politique ? demanda miss Selwyn. De plus, il est maintenant coincé avec un informe bas-bleu.

Cam s'étira de façon langoureuse.

— Margaret, pardonnez-moi de le dire, mais lorsque vous êtes debout à côté de Charlotte, comme maintenant, vous paraissez un peu… Oserais-je le dire ? Grosse.

Nathan ricana. Le visage de miss Selwyn passa au cramoisi. Elle ouvrit la bouche pour parler, mais il n'en sortit aucun mot. Finalement, elle se serra les lèvres et sortit d'un pas lourd de la chambre, claquant la porte derrière elle.

Cam la regarda aller avec un regard de confusion.

— Je dis que c'est un rêve fort intéressant. Charlotte et Margaret dans ma chambre, dit-il en bâillant de façon extravagante. Je veux uniquement Charlotte, mon seul et magnifique amour, dit-il doucement, retombant dans le sommeil.

Le cœur de Charlotte manqua un battement, et un amour chaleureux et englobant se souleva de nouveau dans sa poitrine. Des larmes lui piquèrent les yeux.

Nathan ne comprenait pas.

— Ne pleure pas, ma chère. Peu importe la potion qu'elle lui a donnée, ton marquis ira très bien demain matin. Il aura peut-être mal à la tête, mais je crois qu'il ne se portera pas mal.

Une horrible peur nouvelle la balaya. Regardant la silhouette endormie de Cam, elle demanda :

— Crois-tu qu'il se rappellera que nous sommes censés être fiancés lorsqu'il se réveillera ?

Le regard de Nathan s'assombrit.

— Ne t'en fais pas, Lottie. Nous nous assurerons tous qu'il s'en souvienne. Tu peux en être certaine.

Elle se sentit soudainement épuisée, usée à l'os. Étourdie, elle vacilla sur ses pieds.

Nathan la rattrapa.

— Allons, petite fille, dit-il en tendres paroles d'enfant. Ce n'est pas tous les jours qu'une lady se fiance. De toute évidence, l'excitation a un certain effet sur toi.

S'appuyant sur son grand frère alors qu'ils marchaient vers la porte, elle avait encore une question tenace.

— Nathan, comment es-tu parvenu à garder cette affreuse femme tranquille dans le placard?

— Ce n'était pas difficile, dit-il en riant. Disons seulement que miss Selwyn a décidé de tirer le meilleur parti de la situation.

Pour la première fois, Charlotte remarqua la bouche gonflée et les cheveux décoiffés de son frère, mais elle était trop épuisée pour manifester une quelconque réaction à part une douce surprise. En soupirant, elle laissa Nathan la guider jusqu'à sa chambre.

• • •

Tard, le lendemain matin, Cam trouva Charlotte lors de l'une de ses promenades à pas vifs le long du parc du manoir Fairview. Au-delà des magnifiques jardins de la propriété se trouvait une succession sans fin de champs en friche, ponctuée de zones bordées d'arbres et de boisés.

— Vous voilà, dit-il en l'attirant contre lui. Vous n'êtes pas en train de me fuir, j'espère?

— Cam, dit-elle en le repoussant. Il ne faut pas.

— Oh, allons, je ne tolérerai pas cela.

Les yeux étincelants, il la serra contre son corps svelte et bien formé.

— Dites-moi que vous ne me refuserez pas le doux miel que je ne trouve que sur les lèvres de ma promise.

Se laissant fléchir, elle laissa tomber son corps contre le sien. À certains égards, elle était soulagée du fait qu'il se rappelait leur engagement, mais à d'autres, elle était profondément craintive parce qu'elle n'avait d'autre choix que de lui dire la vérité, à présent — avant que leurs fiançailles aillent plus loin.

De ses lèvres, il chercha les siennes, les ouvrant et y plongeant pour la goûter. Il l'embrassa si profondément, si délicieusement qu'elle en eut les jambes flageolantes.

— Charlotte, murmura-t-il, ses lèvres descendant sur sa gorge, y déposant de petits pincements et la léchant par jeu.

Elle ne voulait rien de plus que de se perdre en lui, mais d'une façon ou d'une autre, elle trouva la force de s'écarter.

Le regard de Cam s'embruma.

— Qu'y a-t-il, maintenant ?

Les magnifiques surfaces de son visage se durcirent.

— Vous ne voulez sûrement pas rompre nos fiançailles ?

— Non ; je crains de ne jamais pouvoir me résoudre à vous quitter de nouveau.

Son cœur souffrait de la profondeur de son amour envers lui.

— Je meurs d'envie de devenir votre femme.

Il sourit, découvrant une large rangée de dents nacrées.

— Je suis soulagé de l'entendre.

Il lui tendit de nouveau les bras et la prit par la taille de telle sorte que les parties inférieures de leurs corps se fondaient presque l'une dans l'autre. Elle sentait clairement la preuve de sa dévotion envers elle. La chaleur envahit son corps.

— Alors, dites-moi, chérie, pourquoi sourcillez-vous? Vous n'êtes pas inquiète à l'idée que je me sente amené à cet engagement par la ruse, n'est-ce pas? Vous savez que je le désire depuis un long moment.

Elle se lécha les lèvres.

— Non, ce n'est pas cela. Je devrais vous dire ce qui s'est passé hier soir.

Il plongea pour l'embrasser, ses mains retenant encore leurs corps ensemble.

— Ce n'est pas nécessaire. Votre frère, Fuller, a eu la gentillesse de me fournir les détails avant de me diriger vers vous, il y a un moment. Il était inquiet à l'idée que je ne puisse me rappeler nos fiançailles.

Elle examina son visage, tentant de ne pas être distraite par la sensation de sa chair qui se durcissait contre son ventre.

— Et vous vous en souvenez?

Il fit un doux sourire.

— Comment pourrais-je les oublier? De toute évidence, mon souvenir d'hier soir comporte de graves lacunes, mais nos fiançailles, je ne pourrais jamais les oublier, quelles que soient les circonstances.

La serrant encore d'une main contre lui, il laissa errer son autre vers le corsage de Charlotte, et ses doigts frôlèrent la naissance de ses seins.

— En tant que mari, je meurs d'envie de découvrir les délicieux mystères que vous cachez.

— Et que faites-vous de miss Selwyn ?

— Heureusement, elle et son frère sont partis tôt ce matin. Il semble que Selwyn se soit rappelé un urgent rendez-vous.

Il se pencha pour embrasser son décolleté.

— C'est une chipie accaparante, trompeuse et calculatrice, murmura-t-il contre sa poitrine, plongé dans sa tâche. J'ai hâte de vous montrer à quel point je vous suis reconnaissant de m'avoir sauvé de ses machinations.

Charlotte fondait sous son toucher, la chaleur s'étendant à travers elle.

— Je n'aurais pu le faire sans Nathan.

Il tendit la main pour y prendre le sein nu sous son chemisier, son doigt passant sur le bout, qui se raidit immédiatement.

— Je vais le remercier aussi, mais je devrai absolument trouver une autre façon de lui montrer ma gratitude.

— Arrêtez, s'il vous plaît.

À regret, elle se dégagea de lui. Ajustant son chemisier, elle dit :

— Je dois vous avouer mon secret de famille afin que vous puissiez entrer dans cette union les yeux complètement ouverts.

Sourcillant, il tendit le bras vers elle, mais elle se déroba et plaça son corps de biais pour échapper à sa prise.

— Si vous devez me le dire, s'il vous plaît, faites-le rapidement afin que nous puissions revenir à ce que nous faisions.

La chaleur affamée dans ses yeux alourdit son cœur dans sa poitrine. Allait-il encore la désirer après avoir appris la vérité?

— Vous devez me donner votre parole de gentleman que ce que je suis sur le point d'avoir restera entre nous. Vous devez garder mon secret en sûreté, peu importe la douleur que cela vous cause.

Paraissant quelque peu surpris par l'intensité de son comportement, il inclina son menton.

— Bien sûr.

— C'est à propos de Nathan.

— Continuez.

— Comme il n'y a pas moyen de l'exprimer aisément, je vais me contenter de le dire.

Les entrailles tremblantes, elle respira profondément pour se donner du courage.

— Nathan est un luddite. Qui plus est, il était l'un de leurs chefs et a organisé leurs efforts.

— Comment est-ce possible? dit Cam en sourcillant et en se frottant le menton. Fuller est un ouvrier des manufactures.

— Il en a été un brièvement, lorsqu'il a quitté le manoir Shellborne.

Il pâlit, ses bras tombant à ses côtés.

— C'est impossible.

— Vous devez comprendre sa position.

Des frissons parcoururent le corps de Charlotte, et ses doigts devinrent froids.

— Les conditions étaient abominables et les tisserands allaient tout perdre.

— Un luddite?

Il appuya sur sa bouche avec son poing.

— Fuller est un leader de ces tueurs et saboteurs de machines?

— Ce n'est pas un tueur. Jamais.

Les paroles étaient urgentes, désespérées.

— Nathan possède un sens élevé de l'équité et de la justice. Il est nourri par la notion du bien et du mal.

— Du bien et du mal, dit Cam en la regardant fixement. Et vous me dites là qu'il est bien de vandaliser et de détruire l'industrie? Qu'il est juste de tuer ceux qui défendent ou adoptent le progrès?

— Non, bien sûr que non. C'était une erreur de jugement, peut-être…

— Une erreur de jugement?

Sa voix s'éleva pour exprimer une stridente incrédulité.

— Ils ont tendu une embuscade à un propriétaire d'usine à Marsden et l'ont tué, Charlotte. C'est un meurtre. Ce n'est pas une satanée erreur de jugement.

Il ne comprenait pas. Peut-être ne comprendrait-il jamais. Mais elle devait essayer.

— Ce n'est pas un tueur. Nathan n'a participé à aucun meurtre. Je le jure.

— Est-ce ce qu'il vous dit?

Il la considéra avec une vigilance nouvelle, une profonde lassitude qui la piqua au vif.

— Ne vous est-il jamais venu à l'esprit qu'il puisse vous mentir?

— C'est mon frère. Je le connais. Nathan était là au tout début de la rébellion. Oui, il fait partie des membres dirigeants, des fondateurs.

Elle ravala péniblement la panique qui lui montait à la gorge.

— Mais non, il ne croit pas à la violence contre les gens. Et il en est venu à croire que le saccage des machines est inutile face au progrès.

— Voulez-vous dire qu'il est réformé? A-t-il trouvé la voie juste avant ou après avoir attaqué nos métiers à tisser?

— Il n'avait rien à voir avec le saccage des machines à votre usine, puisqu'il s'est retiré des luddites.

Elle essuya des paumes froides et humides contre sa jupe.

— Il croit qu'ils ont dépassé les bornes. Que leurs efforts sont futiles, en tous cas.

— Est-ce que cela veut dire qu'il a rompu avec eux?

Un muscle tressauta dans son cou

— Collaborera-t-il avec le magistrat pour identifier les coupables?

— Il ne croit pas que la violence soit une solution, dit-elle en secouant lentement la tête, les paroles calmées par la résignation. Mais non. Il ne trahira jamais les ouvriers. Il reste parmi eux pour les encourager à adopter une approche différente. Il perdra toute influence s'il laisse tout à fait le mouvement.

— Est-ce ce qu'il vous dit afin que vous puissiez tous les deux dormir la nuit?

Un air de défi coléreux flamba en elle.

— Ne prenez pas ce ton avec moi. C'est vous qui avez insisté pour que nous ayons cette liaison compliquée — pas moi. Je vous ai dit de tirer un trait sur cela.

Elle s'efforça à grand-peine d'adoucir son ton.

— Voyez comme Nathan travaille dur, combien il a avancé au manoir Fairview en une si courte période de temps. Vous ne croyez sûrement pas qu'il s'esquive la nuit pour casser des machines, n'est-ce pas ?

Cam la scruta, une expression figée au visage. Finalement, Charlotte n'arrivait plus à supporter le lourd silence.

— Dites quelque chose.

Il expira, le visage hagard.

— Que voulez-vous que je dise ? Que je suis stupéfait par la profondeur de cette trahison ?

— Ce n'est pas juste, dit-elle, la gorge douloureuse de larmes retenues. Je n'ai jamais été déloyale envers vous.

— Comme vous devez vous être moquée de moi !

Il appuya ses paumes contre ses propres yeux, sa voix à la fois lasse et teintée de douleur.

— Avez-vous ri, Charlotte, quand je rageais contre les casseurs de machines ? Est-ce que cela vous a amusée de nous entendre parler des troubles à la table du dîner ? Lorsque vous saviez que le coupable était là, sous nos yeux ?

Cherchant désespérément à se faire comprendre, elle tendit le bras pour le toucher.

— Non, ce n'était pas ainsi.

Il eut un mouvement de recul.

— Mon Dieu, comme vous et votre frère hors-la-loi avez dû rire. Quand je pense que Hartwell finançait sans le savoir les attaques contre ses propres intérêts.

— Je n'ai jamais trouvé tout cela le moindrement amusant.

Un bout de métal aux bords irréguliers semblait se tortiller durement dans sa poitrine.

— Comment pouvez-vous même penser une telle chose, voire l'évoquer ?

Il fouilla son visage avec une expression de douleur.

— Est-ce que tout cela était un mensonge ? Cherchiez-vous à réchauffer mon lit afin de protéger votre frère ?

Elle mourait d'envie de le prendre dans ses bras, de l'assurer de son amour.

— Vous devez savoir que je ne me prostituerais jamais pour qui que ce soit, pas même pour Nathan.

— J'ai défendu l'idée de la peine de mort pour le saccage des machines, Charlotte. Comme mes ennemis politiques vont jubiler en apprenant cette moquerie !

Il secoua la tête et s'éloigna à pas mesurés, passant ses deux mains dans sa chevelure en un geste familier qui lui donna un pincement au cœur.

— Peut-être m'accuseront-ils même de tricherie. Et maintenant que je connais la vérité, si j'épouse la sœur d'un luddite et que je ne dis rien, je serai, en fait, un traître.

Ses paroles étaient comme un étau qui serrait son cœur.

— Pourquoi ai-je évité une relation avec vous, d'après vous ? Je savais dans quelle position intenable cela vous mettrait.

— Intenable ?

Il poussa un rire fêlé.

— Oui, je suppose qu'on pourrait trouver intenable le fait d'abriter un meurtrier.

— Non, pas un meurtrier — jamais ! s'écria-t-elle. Vous devez me croire. Nathan aspire à être le majordome des Hartwell. Le majordome actuel du duc prendra bientôt sa retraite. Nathan a déjà commencé à s'occuper de certains de ses livres, alors pourquoi travaillerait-il autant s'il avait l'intention de rester activement engagé dans la rébellion ?

— J'espère pour vous que Fuller dit la vérité. Le saccage des machines est maintenant passible de la peine de mort. Si

Fuller est surpris en flagrant délit, je vous donne ma parole de gentleman que je le ferai pendre.

Chapitre 15

$\mathcal{D}$es températures exceptionnellement chaudes — et même torrides — s'abattirent sur Fairview, et l'air impitoyable de l'été était dépourvu de la moindre brise.

Le médecin venu voir Willa jeta un coup d'œil sur ses membres enflés et lui ordonna rapidement de rester alitée jusqu'à la fin de sa grossesse.

Un sentiment de calme tendu surplomba le manoir après la dernière nouvelle pénible de la manufacture. Des casseurs de machines avaient attaqué de nouveau. Les gardes armés que Cam et Hart avaient embauchés après le dernier incident avaient réussi à repousser les cliques, mais non sans effusion de sang. Trois protestataires avaient été tués dans la mêlée, et la bande en colère avait réussi à atteindre l'un des gardiens. Il avait été battu et gravement blessé avant que l'un de ses coéquipiers parvienne à effrayer les émeutiers en déchargeant son arme.

La nouvelle, qu'elle avait apprise de Willa bien après le départ de Hart et de Cam en direction de la manufacture, la dégoûtait. C'était le genre d'escalade qu'ils avaient tous craint. Et pour Charlotte, cela accrut sa crainte grandissante de n'avoir aucun avenir avec Cam. Sa réaction aux révélations sur Nathan avait été aussi virulente qu'elle s'y attendait. Et elle ne lui avait même pas tout dit. Elle en avait révélé juste assez pour qu'il sache que son mariage avec elle allait avoir un effet sur son avenir.

Malgré les températures exceptionnellement élevées et le manque de compagnie, elle se faisait tout de même ses promenades quotidiennes à pied. Elle n'avait pas vu Cam depuis trois jours, et l'exercice était une façon d'évacuer la crispation qui s'accumulait en elle. En expirant, elle renchérissait, arpentant les champs de Fairview, allant plus loin qu'elle en avait l'habitude. De petites perles de sueur s'agglomérèrent sur sa lèvre supérieure alors qu'elle fonçait, incertaine de la durée de sa promenade. Elle était si absorbée par ses pensées qu'elle n'entendit pas le cheval s'approcher avant qu'il soit presque à côté d'elle.

En se retournant vivement, elle vit Cam assis sur son étalon, sa silhouette à contre-jour. En souplesse, il descendit de cheval, et ses bottes de toile firent un bruit sourd lorsqu'il toucha le sol. Les deux se regardèrent un moment. Les courbes prononcées de son visage arboraient un air impénétrable, son regard brillant rivé sur elle. Puis, en deux enjambées rapides, il fut devant elle, l'attirant dans ses bras.

La vague de soulagement qui parcourut Charlotte faillit la renverser littéralement. Il murmura son nom en écrasant ses lèvres sur les siennes, sa langue conquérante et exigeante. Le désir s'enfla en elle et déborda. Elle se demanda, vaguement inquiète, si son apparence et son odeur étaient moins attirantes dans la chaleur de l'été, mais si Cam le remarqua, il n'en donna aucune indication. Sa bouche passa à sa gorge, la dévorant, disant doucement son nom.

Enlaçant sa tête et son visage, elle le serra contre elle.

— Cam? Qu'est-ce qu'il y a?

Elle le sentit sourire contre son cou.

— Un homme ne peut-il pas chercher le réconfort dans les bras de sa future lorsqu'il revient d'un voyage ardu?

Le cœur de Charlotte s'éleva et se serra à la fois. Il était troublé et était venu la trouver, mais pourquoi? Du réconfort? De la chaleur? Elle lui prit le visage entre ses mains et le regarda dans les yeux.

— Était-ce si affreux? Y avait-il plus de blessés que vous le craigniez?

Il lui frôla les temps avec ses doigts, le regard embrouillé.

— La colère est palpable, à présent. La tension est omniprésente.

Il soupira. Le stress des derniers jours avait épaissi des rides autour de ses yeux et de sa bouche.

— Nous avons embauché plus de gardiens armés pour patrouiller dans le village aussi. Les luddites déchargent leur colère sur les gens qui travaillent à notre usine.

Elle scruta son visage.

— Cam, si vous voulez, je vais me dédire de notre promesse. Je sais qu'il vous a été trop pénible d'apprendre la nouvelle à propos de Nathan.

Il resserra son étreinte.

— Lorsque j'étais là-bas, je ne pouvais songer qu'à une chose : à quel point je voulais revenir vers vous et régler les choses.

Devant son sourire ironique, elle sentit fondre ses entrailles.

— En quelque sorte, vous êtes devenu mon gîte, Charlotte. Si je vous abandonne, où irai-je? Que ferai-je?

— Vraiment?

Le poids immense qui écrasait sa poitrine s'envola, laissant son cœur plein d'entrain.

— Et Nathan?

Sa mâchoire se serra.

— Je n'aime pas cela, Charlotte. Je ne peux mentir.

Il se détacha d'elle, secoua les épaules, étira les bras et le cou, probablement tendu à cause du voyage et de la situation.

— J'ai parlé à Fuller. Il m'a assuré qu'il ne participera plus à la violence. Comme vous, il m'a dit qu'il n'a pas sanctionné le sabotage des machines depuis un bon moment.

Il la regarda fixement, d'un œil dur.

— Je vous ai donné ma parole quant au fait que je ne le dénoncerais pas à cause de ses associations passées. Mais je l'ai averti que s'il enfreignait la loi à l'avenir, je ne lèverais pas le petit doigt pour l'empêcher d'être pendu.

Il lui saisit les épaules et soutint son regard.

— Me comprenez-vous? Si nous nous marions, ce sont les conditions que je peux supporter. À présent, il s'agit de savoir si vous le pouvez. Si votre frère enfreint la loi de nouveau, vous devez accepter de laisser la justice s'occuper de lui sans aucune interférence de l'un ou l'autre d'entre nous.

Elle opina de la tête en frémissant, le cœur vociférant. C'était un immense compromis de la part de Cam, et elle le savait.

— En êtes-vous bien sûr? murmura-t-elle, encore incrédule. Vous devez en être certain.

— Je suis certain de vous aimer, Charlotte Livingston.

Son sourire abondant et ouvert la renversa.

— J'adore votre passion, votre honnêteté, et, oui, même votre inébranlable loyauté envers votre frère. Je serai un homme chanceux, en effet, si je suis le bénéficiaire de ce degré d'amour et de dévotion.

Son cœur se gonfla. Jusqu'alors, elle n'avait jamais ressenti de joie véritable.

— Vous avez déjà mon amour et ma dévotion. Je suis entièrement à vous. C'est ainsi depuis le tout début.

Il lui tendit sa main.

— Venez, rentrons.

Elle mit sa main dans la sienne, heureuse de sentir la chaleur rayonnante de sa présence dorée. Il monta à cheval et la tira vers le haut, l'installant en amazone alors qu'il sentait le côté de son corps contre le sien. Il appliqua la force de ses bras autour d'elle, la serrant de près, pressant Hercules d'avancer. Se tortillant pour l'étreindre, elle goûtait la sensation de son corps musclé appuyé de façon intime contre le sien.

D'un bras, Cam saisit Charlotte tandis que son autre main tenait les rênes qui servaient à guider l'étalon. Il fit courir l'animal, et tout autour d'eux, une masse indistincte défilait alors qu'ils prenaient de la vitesse. Ils couraient dans l'air immobile, soulevant un vent rafraîchissant qui soufflait contre eux et les engouffrait dans un sentiment de ravissement fugitif. Brûlant de le toucher, elle enfouit son nez dans son cou. Avant longtemps, les légers baisers donnèrent lieu à de doux pinçons et coups de langue.

Elle sentit le corps de Cam qui réagissait à ses caresses. Il glissa la main vers la taille de Charlotte puis vers son derrière, et il la souleva avec une ferme douceur contre la force de son désir. Il l'embrassa, sa langue la pillant comme s'il n'en pouvait en avoir assez. Elle se blottit contre lui, assoiffée par la promesse de l'aboutissement de leur passion.

Retirant ses lèvres des siennes, il ralentit sa monture jusqu'à ce qu'il adopte un rythme de marche plus lent.

— Si nous persistons, dit-il d'une voix rauque contre sa bouche, nous aurons beaucoup de mal à exprimer pourquoi deux cavaliers expérimentés n'ont pas pu rester en selle.

Elle soupira et leva la main vers ses cheveux, rejetant sa capeline afin qu'elle ne fasse pas obstacle à leurs baisers. Libérée, sa chevelure retomba sur ses épaules et sa taille.

Il avala péniblement sa salive.

— Vous êtes une tentatrice éhontée.

Faisant s'arrêter Hercules, il déposa les rênes, ses mains parcourant la chevelure lustrée de Charlotte. Il les parcourut entièrement jusqu'à sa taille avant de la prendre de nouveau complètement dans ses bras pour lui donner un baiser effronté.

Il descendit et la tira à sa suite, l'embrassant alors qu'il tenait son corps contre le sien. Il la fit marcher à reculons vers un vieux chêne, leurs corps emmaillés, leurs bras entrelacés alors que leurs bouches se dévoraient mutuellement. Son odeur masculine et musquée l'enveloppa. Il goûtait la lumière du soleil, la liberté et les possibilités illimitées.

Cam se laissa descendre, adossé contre l'arbre, et la tira à califourchon sur ses genoux. Elle sentit une main forte sur son derrière, puis ses jupes remontèrent. Les doigts de Cam allèrent vers ses doux replis, et elle cria lorsqu'il atteignit le point essentiel.

Elle gémit sous son toucher, se serrant contre sa main, affamée de lui plus que tout. Il murmura son nom lorsqu'elle cria de plaisir. Ses doigts la rendaient folle, son corps tremblant était en feu.

Sa langue cherchait la sienne avec d'intenses mouvements. Charlotte avait faim de lui, entièrement. Elle avança les mains vers sa culotte et la tira. Grognant, Cam l'aida, défaisant les boutons, libérant sa chair mâle et avide. Elle enveloppa de ses doigts sa hampe durcie, étonnée de sentir sa douceur de fer, et elle se frotta sur le bout satiné.

Cam faillit ruer. Un moment, il s'arrêta et la regarda. Un désir brut lui embrouillait les yeux.

— Charlotte, dit-il en courts et durs halètements. Ce n'est pas l'endroit désigné pour la première fois d'une lady. Je ne peux pas vous prendre ici comme une jeune roturière.

La pensée qu'il puisse s'arrêter était intenable.

— S'il vous plaît, Cam.

Elle se tortilla par-dessus lui et le fit grogner à nouveau.

Des mains solides se posèrent sur ses hanches, arrêtant leur mouvement.

— Si vous continuez, je serai incapable d'arrêter.

Elle le regarda, fixant la chevelure fauve et sauvage, la façon dont sa lèvre inférieure sculptée grimaçait avec l'effort d'arrêter... Alors, elle se remit à bouger, lui couvrant le visage de pinçons et de bises.

— Je suis soulagée de l'entendre. Ne vous arrêtez pas.

Il avait les yeux scintillants.

— Je ne fais qu'obéir.

Il la souleva tout en ajustant sa propre position. Équilibrant Charlotte sur sa dure chair, il la guida de façon à ce qu'elle descende sur lui. Elle le sentit à son ouverture, puis elle eut l'impression de le ganter alors qu'il entrait en elle. Elle ressentit une douleur aiguë. Charlotte ferma les yeux et inspira profondément. Elle ne s'était pas attendue à un inconfort aussi intense. Comment était-ce censé donc s'insérer en elle? Cam cessa de bouger. Malgré la tension de leur accouplement, les entrailles de Charlotte hurlaient de protestation. En ouvrant subitement les yeux, elle retrouva ce regard d'ambre brûlant fixé sur son visage.

Un muscle tressaillit dans sa mâchoire d'homme.

— Vous souffrez. Nous allons arrêter.

Il commença à sortir d'elle.

L'idée que Cam la quitte la rendit folle.

— Non. Restez avec moi. Ne me laissez pas maintenant.

En la frôlant, il déposa de tendres baisers sur ses pommettes et ses sourcils.

— Je ne vous quitterai jamais, Charlotte.

Il se figea lorsqu'elle lui serra les épaules et descendit avec force sur lui, effaçant la gêne jusqu'à ce qu'il soit complètement en elle. Comme elle voulait le voir, elle garda les yeux ouverts. Cam observa son visage, grimaçant lorsqu'elle cria à cause de la douleur cuisante, qui signalait la perte de son innocence. Malgré l'inconfort, le sentiment robuste de l'avoir en elle la fit vouloir sangloter de soulagement.

Il semblait combattre le besoin pressant de bouger en elle.

— Prenez un moment, dit-il d'un ton apaisant.

Il déposa le long de sa gorge d'autres baisers légers comme des plumes.

— Allez-y doucement.

Perdue dans la sensation de l'avoir en elle, Charlotte n'entendit pas vraiment les paroles. Les yeux rivés sur les siens, elle se mit à bouger d'instinct. En réaction, il s'agita en elle. Il grogna et sembla se ressaisir, car il s'arrêta de bouger. Elle, non. Elle continua de bouger, mais d'un rythme maladroit, et s'aperçut qu'elle ne savait pas quoi faire. La frustration et une espèce de besoin insatisfait montèrent en elle.

Il parut comprendre.

— Je vous comprends, mon amour. Je comprends.

Il lui donna un long et intense baiser, puis lui saisit les lèvres, l'aidant à ajuster le rythme. Ses longs doigts habiles lui caressèrent le derrière, la guidant de haut en bas sur sa verge. Elle sentit lorsqu'il finit par se laisser vraiment aller, poussant vers le haut à l'intérieur de son corps.

Ils bougeaient d'un rythme éternel, ponctué de doux gémissements et de claquements de caresses chaudes et humides. Charlotte bougeait par-dessus lui, jouissant de le sentir bouger en elle, haletant alors que le plaisir semblait envahir ses sens. Elle perdit tout contrôle lorsque ses muscles lâchèrent les contractions involontaires qui élançaient dans son ventre trépidant. Cam l'embrassa intensément lorsqu'elle cria, et les chaudes vaguelettes de son orgasme à elle frémirent dans tout son corps. Il pompa furieusement en Charlotte, laissant échapper un calme rugissement lorsqu'il se déchargea en elle.

Avec la sensation encore délicieusement bouillonnante à travers son corps, Charlotte ferma les yeux. Elle voulait savourer ce petit moment parfait où tout dans le monde était tel qu'il devait être. Sauf une chose.

— Montrez-moi comment vous faire jouir.

Son torse gronda de plaisir.

— Oh, vous me faites grandement jouir, Charlotte, vous le faites incroyablement.

Sa bouche se ferma sur la sienne en un chaud baiser prolongé.

— Ce n'est pas de ce plaisir que je parle.

— Hmm ?

Il abaissa son corsage, révélant ses seins modestes. Ses yeux luisaient d'appréciation.

— Comme ils sont beaux ! Je ne voudrais surtout pas négliger de leur accorder l'attention qu'ils méritent.

Baissant la tête, il lécha une tendre pointe.

— De quel genre de plaisir voulez-vous parler ?

— Il se trouve que j'ai été témoin d'un autre genre... de plaisir amoureux que vous appréciez.

Elle se tortilla sur lui en essayant de ne pas être distraite par la sensation de ses dents sur son mamelon. Le dressant dans sa bouche, elle ajouta :

— J'aimerais vous le procurer maintenant.

Il releva brusquement la tête

— Charlotte, ce n'est pas nécessaire, dit-il avec incrédulité lorsqu'il vit ce qu'elle voulait dire. Je ne peux pas comprendre qu'une lady comme vous fasse une telle chose. Eh bien, vous venez d'être initiée aux plaisirs de la chair. Je ne vous le demanderais jamais.

— Vous ne l'avez pas demandé. Je veux le faire.

Le triomphe monta en elle lorsqu'elle sentit sa virile anatomie se raffermir sous son derrière.

— Je ne veux pas que vous ayez fait quelque chose avec une autre femme et refusiez de l'accomplir avec moi. Je ne veux pas qu'une femme puisse revendiquer cela à votre égard.

— Je vous assure qu'aucune n'a jamais eu de revendication sur moi autant que vous.

Son visage s'adoucit, prenant un éclat radieux

— Je vous aime et vous désire comme je n'ai jamais aimé ou désiré une autre femme.

La chaleur frémit à travers la poitrine de Charlotte.

— Vraiment ?

— Vraiment.

Se tortillant pour se détacher de ses genoux, elle bondit sur ses pieds et lui offrit sa main. En la prenant, il se redressa.

— Voulez-vous que nous rentrions ?

— Pas tout de suite.

Le poussant contre l'arbre, elle se mit à descendre en glissant sur son corps.

— Montrez-moi, demanda-t-elle d'un ton impérieux.

Et c'est ce qu'il fit.

• • •

— Alors, dis-le-moi, Camryn. Quand as-tu l'intention d'épouser ma sœur ? demanda Hugh Livingston, la voix parcourue d'une nuance stridente. Je dois en informer notre mère, et il reste bien sûr à régler les détails de l'accord nuptial.

Cam était assis, les jambes écartées, dans un grand fauteuil de cuir, dans la salle de billard où Shellborne l'avait abordé.

— J'ai fait annoncer les bans à notre église paroissiale de Camryn Hall pour les trois prochains dimanches, dit Cam avant d'avaler du brandy. Tu feras la même chose à ton église paroissiale. Je peux te faire confiance ?

— Bien sûr, dit Shellborne en toussotant. Il reste bien entendu la question de la dot de Charlotte.

— Oui.

Cam examina le frémissement de la lie au fond de son verre de brandy.

— Je n'ai pas besoin de l'argent de Charlotte. Peu importe le montant que tu as mis de côté pour sa dot, ce sera plus que suffisant.

Le soulagement détendit les traits du baron

— Et il y a, bien sûr, la question de l'argent de poche.

Cet homme était peut-être un casse-pieds, mais Cam appréciait sa détermination à assurer l'avenir de sa sœur.

— Je vais faire en sorte que mon notaire fournisse une allocation annuelle personnelle à Charlotte lorsqu'elle deviendra ma femme.

Il était impatient de voir arriver cela. Il retournait en esprit à la journée d'hier, alors qu'elle avait démontré à quel point elle pouvait être une amante habile et enthousiaste. Puis il y avait eu la révélation de la forme nue de Charlotte à l'étang, où ils étaient allés nager par la suite. Son esprit se régalait du souvenir de son corps svelte, mais étonnamment souple, ainsi que de ses étendues de peau crémeuse et lisse ponctuées par les douces courbes de ses hanches et la ronde perfection de ses seins fermes.

— Je suis sûr que tu trouveras l'allocation plus que généreuse, s'entendit-il dire.

— Oui, sans aucun doute, dit Shellborne.

Puis il y eut une pause gênante.

— De plus, dans l'éventualité de ta mort...

Cam se demanda à quel moment il pourrait se retrouver de nouveau seul avec Charlotte. Ce qu'il avait deviné de la passion déchaînée de celle-ci s'était avéré. Il avait tellement hâte de lui refaire l'amour, d'entendre ce petit cri étouffé qu'elle poussait lorsqu'elle atteignait l'orgasme.

Il s'aperçut que Shellborne le regardait avec l'air d'attendre quelque chose.

— Quoi ? Oh, oui, bien sûr, Charlotte et tous les enfants que nous pourrions avoir seront protégés dans l'éventualité de ma mort.

Peut-être pourrait-il s'immiscer dans sa chambre ce soir-là. Il sourcilla. Il espérait que son autre frère ne prenne pas l'habitude de grimper jusque dans sa chambre le soir venu. Cam ne voulait certainement pas voir se répéter leur rencontre précédente. La dernière fois, rien d'inconvenant ne s'était produit. Ce soir, Nathan aurait une excellente raison de le tuer s'il les rencontrait dans la chambre de Charlotte.

Les expressions changeantes du visage de Cam semblaient rendre Shellborne nerveux.

— Naturellement, elle aura droit au douaire.

Cam regarda Shellborne en clignant des yeux, essayant de se concentrer sur ce que le petit homme rond venait de dire. Cet examen poussa le frère de Charlotte à bouger inconfortablement dans sa chaise. Cam s'obligea à se pencher sur les paroles de Shellborne.

— Oui, oui. Ma marquise aura droit au tiers du revenu de Camryn Hall, dans l'éventualité de ma mort.

Il se redressa, étirant ses jambes raides.

— Cependant, je vais également mettre de côté un douaire généreux pour assurer à Charlotte un confort et une indépendance financière complets après mon départ. De plus, je vais établir pour elle une maison de ville à Mayfair et un domaine à la campagne dans l'éventualité de mon décès. Des portions seront également réservées aux enfants.

Il fit une pause, essayant de masquer son impatience.

— Autre chose?

Shellborne sirota rapidement son brandy, qui était jusque-là resté intact.

— Non. J'ai hâte d'examiner le contrat une fois qu'il sera rédigé par ton notaire.

Cam se versa un autre brandy. Se retournant, il tint le carafon en direction de Shellborne. Le baron secoua la tête, déclinant l'offre silencieuse d'un nouveau verre.

— Il y a une autre question afférente, dit Cam. Le moment est peut-être venu d'en discuter.

— Qu'est-ce que cela pourrait bien être ?

Shellborne croisa les bras avant de les décroiser.

Cam lampa une gorgée de brandy, appréciant la sensation chaude et lisse du liquide de feu glissant dans sa gorge.

— Cela concerne Nathan Fuller, dit-il.

— Nathan Fuller ?

Son ton était aussi neutre que l'expression de son visage.

— Le cocher du duc ?

— Et ton frère.

Cam traversa la pièce à longues enjambées, s'affalant dans un fauteuil devant Shellborne.

— Ne perdons pas de temps en faisant semblant. Je sais que Fuller est le bâtard de ton père.

— Je vois.

Rougissant, Shellborne gratta les mèches dispersées et incertaines sur son crâne luisant.

— Je ne vois pas en quoi cela pourrait être pertinent.

Cam s'adossa, étendant ses bras sur le dossier de sa chaise.

— Fuller est cher à ta sœur. Par conséquent, il m'inquiète.

— Je vois.

— Je me demandais, Shellborne, si tu approuves les activités politiques de Fuller.

— Ses activités politiques ?

Le baron plissa les yeux.

— Je te demande pardon ?

Cam n'était pas étonnée que le baron paraisse ignorer les activités clandestines de son frère.

— Que sais-tu des activités de ton frère depuis son départ du manoir Shellborne ?

Le frère de Charlotte haussa les épaules.

— Tout ce que je sais, c'est que Fuller a travaillé dans une manufacture dans le Leicestershire. Mais il a eu des problèmes là-bas, ajouta-t-il en dégageant une longue expiration. Cela ne m'a pas étonné. Il n'est jamais resté à sa place.

Cam riposta.

— Dans certaines familles, vous deux auriez été élevés en tant que frères, car c'est ce que vous êtes.

— Mon père, le regretté baron, ne l'a pas reconnu, dit Shellborne d'une voix empreinte d'un froid que Cam n'avait jamais senti auparavant. C'était son choix.

— En effet, dit Cam en revenant à son argument véritable. Qu'est-il advenu de Fuller après son départ du Leicestershire ?

— Je ne savais pas du tout où il était jusqu'à ce que je le découvre ici, au service de Sa Grâce.

Shellborne se leva, amenant la discussion à sa conclusion.

— Comme tu l'as sûrement deviné, nous ne sommes pas proches.

Après le départ de Shellborne, Cam ferma les yeux et repassa sans cesse dans son esprit les paroles du baron. Quelque chose à propos de l'échange le dérangeait, comme s'il lui manquait la pièce clé d'un puzzle. Mais il ne pouvait aucunement mettre le doigt dessus.

• • •

Cette fois, lorsque Cam arriva dans les appartements de Charlotte au beau milieu de la nuit, elle l'attendait. Il s'introduisit comme si c'était déjà son droit, se déshabillant par mouvements rapides et efficaces. Elle l'observa avec une curiosité intense, son corps ayant faim de lui maintenant qu'elle comprenait pleinement ce qu'elle avait manqué pendant toutes ces années stériles. Il tira sa chemise de lin blanche par-dessus sa tête, le mouvement faisant s'étirer et onduler les contours musclés de son torse et de son ventre.

Lorsqu'il se pencha pour enlever sa culotte, la lueur du feu rougeoya sur les lignes nettes de sa taille fine et les échancrures de ses hanches. Nu, il se tourna vers elle, et l'impossible plénitude de sa chair gonflée surgit fièrement d'un nid de boucles couleur fauve. Il introduisit calmement son poids sur le lit à côté du sien, et même le matelas sembla grogner d'admiration.

L'attirant dans ses bras, il l'embrassa profondément. Sa langue bougea dans sa bouche, la marquant à chaque coup. Il s'arrêta et se retira, ses yeux ambre luisant à la lueur du feu.

— Allez-vous enlever votre robe de nuit ?

La chaleur l'envahit, mais elle avait hâte d'être avec lui. S'adossant dans le lit, elle enleva la mince robe de nuit blanche. Appuyé sur son coude, il regarda avec une évidente appréciation. Elle était étonnée que Cam la désire par-dessus toutes les autres. Qu'il l'ait choisie, même s'il pouvait avoir n'importe quelle autre femme.

Il passa une main chaude sur le dos nu de Charlotte, laissant des sensations de picotement dans son sillage. En se redressant, il s'installa derrière elle, tirant le corps assis de Charlotte contre le sien. Ses mains descendirent furtivement sur ses seins à partir de derrière elle, les amenant à devenir de fines pointes alors qu'il embrassait et mordillait avec douceur son cou.

— Je crois bien que Fuller ne prendra pas l'habitude de se glisser furtivement dans votre chambre la nuit.

Avec un soupir contenté, elle s'appuya sur la dure chaleur de son corps. Une palpitante sensation commença à monter en elle.

— S'il le fait, je serai terriblement compromise.

— Il est malheureux que nous ayons déjà décidé de nous marier, dit Cam d'une voix inégale, son souffle devenant plus ténu.

Le mariage. La culpabilité la travaillait dans son torse. Avait-elle eu raison de ne pas lui dire toute la vérité? Elle n'avait pas tout révélé, convaincue que ce faisant, elle protégeait à la fois Cam et Nathan. Peut-être le moment était-il venu de lui dire. Mais alors, il la souleva, rentrant en elle de l'arrière en un doux et rapide mouvement, et toute pensée rationnelle se détacha de son esprit.

— Oh! dit-elle en réaction à la combinaison de surprise et de sensation.

Il n'y avait pas de mots pour exprimer à quel point c'était merveilleux.

— Je ne savais pas que cela pouvait se faire ainsi.

Cam poussa un rire rauque lorsqu'elle commença à bouger de façon expérimentale sur lui.

— Oui, exactement comme cela, dit-il entre ses dents. Nous avons tant de choses à explorer ensemble, mon amour.

De ses dents, il lui effleura le dos en un mouvement sensuel qui la picota et la fit frissonner. Cam l'aida à bouger, poussant vers le haut en elle, rigide et rapide.

Une déflagration de feu et de passion envahit Charlotte. Elle se mit à bouger plus vite, la tension grandissant en elle. Cam bougeait avec elle, l'aidant à garder le rythme de ses mouvements qui accéléraient. Il passa ses mains sur son dos et ses épaules, vers le devant pour lui prendre les seins, puis vers l'endroit essentiel entre ses jambes, frottant et caressant. Lorsqu'elle cria, Cam jouit avec elle, les deux filant à toute allure au-dessus d'un précipice qui rendait toute pensée impossible.

Plus tard, ils refirent l'amour, goûtant la nouveauté du toucher mutuel, le caractère précieux de ce qu'ils avaient découvert ensemble, leurs corps et leurs membres encore entremêlés lorsqu'ils finirent par s'assoupir. On aurait dit qu'ils avaient à peine fermé les yeux lorsque Charlotte fut réveillée par la brume tremblotante et rougeâtre d'un nouveau jour.

Elle s'étira avec un soupir satisfait avant de rouler vers Cam.

— Réveillez-vous, chantonna-t-elle en passant la main sur les poils frisés, couleur ambre, de son torse. Je serai absolument et complètement compromise si Molly vous trouve ici.

Cam remua, grognant tout en se rapprochant de Charlotte.

— Ce ne peut absolument pas déjà être le matin.

Il passa la main sur le ventre de Charlotte.

— Et je n'ai pas fini de vous meurtrir.

Sa voix prit une sonorité profondément résolue alors que sa main glissait plus bas.

Sa peau bondissant d'excitation sous son toucher, elle s'obligea néanmoins à saisir sa main, gênant son avancée.

— Voyez, il fait déjà jour, dit-elle en montrant la fenêtre. Il ne faut pas qu'on vous voie ici. Ce pauvre Hugh sera sûrement fou de rage, cette fois-ci.

Cam lança un grognement et balança à regret ses jambes par-dessus le bord du lit. Se redressant, il regarda au loin l'aube rouge visible par la fenêtre.

— Le matin est venu beaucoup trop rapidement. Je suis aussi fatigué que le diable.

Il se retourna pour saisir Charlotte, la tirant pour l'asseoir sur ses genoux.

— Je suppose que ma fatigue est entièrement votre faute, ma future marquise.

— Je m'exerce à être une épouse compétente, dit-elle en lui passant les bras autour du cou. J'aime exceller en toute chose.

— Je suis un homme fort chanceux.

Leurs bouches se rencontrèrent. Ils allaient lentement, glissant leurs langues l'une contre l'autre en mouvements profonds et tranquilles, tirant leur plaisir l'un de l'autre.

Elle finit par se dégager et se leva pour mettre sa robe de chambre. Elle tendit les bras vers les vêtements de Cam.

— Allons, dit-elle en lui tirant la main.

Il se leva et commença à s'habiller. Alors qu'il attachait sa culotte, quelque chose le déconcentra dans la teinte orange et tremblotante du nouveau jour. Ses yeux s'agrandirent lorsqu'il comprit ce qui se passait.

— Mon Dieu, ce n'est pas le soleil.

Mettant sa chemise, il courut vers la porte.

— Ce sont des flammes. Les étables sont en feu! Avant que Charlotte puisse réagir, Cam fila dans le corridor et descendit les escaliers en hurlant :

— Au feu! Au feu!

Quelqu'un d'autre semblait l'avoir vu aussi. Une cloche commença à sonner, et des cris urgents éclatèrent sous la fenêtre de Charlotte.

La peur l'envahit.

— Nathan, murmura-t-elle en se débattant pour mettre la robe de nuit qu'elle avait portée seulement quelques heures plus tôt.

Elle pria pour qu'il se soit échappé de sa chambre au-dessus des étables. Enfin habillée, Charlotte se précipita dans le couloir, dévala les marches et sortit par la porte. Courant vers la structure en flammes, elle fut avalée par la foule de domestiques qui couraient dans la même direction alors que des cris et des jurons remplissaient l'air.

Une boule massive de flammes engouffra le côté nord de l'étable. Le violent brasier bouillonna dans le ciel. Une fumée remplie de volutes formait un sinistre halo autour des brutales flammes où l'orange, le jaune et le blanc se mêlaient. Des valets toussaient et menaient les chevaux en sûreté. Leurs visages étaient couverts de suie, et le blanc de leurs yeux flottait dans une obscurité couleur d'ambre.

La terreur s'empara de Charlotte, lui paralysant les poumons. Elle lança autour d'elle un regard frénétique, sanglotant presque en prononçant le nom de son frère. Elle saisit les bras de l'un des valets.

— Mon frè… Nathan Fuller, le cocher. L'avez-vous vu?

— Non, madame, dit-il avant de retourner son attention aux deux chevaux qu'il conduisait rapidement en sûreté.

Elle s'aperçut que Hartwell criait des ordres. Elle avait toujours vu le duc dans une tenue impeccable. Mais ce soir, ses longs cheveux noirs pendaient lâchement au lieu d'être tirés en une queue-de-cheval, ce qui, en somme, adoucissait ses traits acérés. Sa chemise blanche était par-dessus sa culotte. Le fait de voir le duc, habituellement soigné, en tenue négligée en contre-jour contre la brume surréelle et rougeâtre des gigantesques flammes accrut la détresse de plus en plus grande de Charlotte.

L'air âcre s'insinuait dans ses poumons, et elle avait de la difficulté à respirer. Une chaleur intense lui giflait la peau, l'humidifiant de sueur et de peur.

Elle vit alors Cam, avec sa crinière léonine, rebelle, ébouriffée et libre, qui dépassait par sa grande taille les gens qui l'entouraient. Il ordonna au personnel de former des chaînes humaines pour transporter de l'eau, et ils se passèrent bientôt tous des seaux pour aider à éteindre le feu.

Cam se joignit à l'une de ces chaînes. Sa fine chemise de batiste découvrait une partie de son torse, qui, comme les lisses surfaces de son visage, luisait dans la chaleur brûlante.

Charlotte courut vers lui.

— Je ne trouve pas Nathan.

Cam cria des ordres le long de la chaîne humaine puis ramena son attention vers elle tout en continuant à passer les seaux.

— C'est un homme fort et habile, Charlotte. Il est sûrement parvenu à s'échapper.

Il criait assez pour être entendu par-dessus les flammes rugissantes. Des appels plus urgents venaient de la fin de la chaîne, et il courut dans cette direction pour voir ce qui n'allait pas. Criant par-dessus son épaule, il dit :

— Attendez ici. Je vais le trouver, Charlotte. Vous avez ma parole.

D'autres gens continuaient d'arriver. La nouvelle de la crise avait dû atteindre les locataires. Quelqu'un la prit par le bras. En se retournant, elle vit Hugh.

— L'as-tu vu, Charlotte? cria Hugh, la voix remplie d'émotion.

— Non! dit-elle, les poumons en feu. Et toi?

Hugh avait les yeux arrondis par la peur. La lumière orange des flammes jetait une teinte malsaine sur son visage. Il secoua la tête lentement, avec tristesse.

Charlotte n'arrivait pas à respirer. Son ventre se tordait, en proie à de pénibles nœuds. Elle ravala un sanglot et regarda en direction de l'incendie. Où Nathan pouvait-il bien être? Personne, à l'intérieur, n'aurait pu survivre à l'enfer qui dévorait l'étable.

— Miss Livingston?

En se retournant, elle vit Digby, le majordome.

— Est-ce monsieur Fuller, le cocher, que vous cherchez?

Elle opina de la tête, toussant à cause de la fumée qui lui brûlait les poumons.

— L'avez-vous vu, Digby?

Si le majordome était perplexe quant à l'idée de voir Charlotte à bout de nerfs à propos du bien-être d'un domestique, il n'en montra aucun signe.

— Oui, miss Livingston. Je suis certain d'avoir vu Fuller courir vers le manoir, il y a seulement quelques minutes.

Un sanglot de reconnaissance s'échappa de sa gorge. Il était en sûreté.

C'est Hartwell qui vit en premier la fumée sortir du bâtiment même du manoir. Charlotte ne s'en rendit compte que lorsqu'elle entendit un tonitruant cri de bête et se retourna pour voir le sombre duc se précipiter vers le manoir à la recherche de sa femme, presque seule et vulnérable, son corps impassiblement gonflé par son bébé.

Cam courut derrière Hartwell, ses cheveux ébouriffés plus en bataille que d'habitude, le visage luisant de transpiration et la chemise blanche humide, tachée de suie et de sueur. Charlotte les suivit tant bien que mal, mais les deux disparurent dans la foule.

Elle sentit les nouvelles flammes avant de les voir lorsqu'elle respira l'air rempli d'une fumée âcre et d'un arôme piquant d'agrumes. Elle atteignit l'orangerie à temps pour voir Cam et Hart entrer en courant avec des tentures massives arrachées à une salle de cérémonie. Ils s'en servirent pour frapper le brasier, essayant d'étouffer les flammes rapides qui léchaient, menaçaient et parfois sautaient sur un oranger ou un citronnier voisin.

Cam lança une chaise dans l'une des fenêtres du palladium, fracassant la vitre. Les deux hommes lancèrent les plants d'arbres en feu par les fenêtres brisées. D'autres domestiques et locataires se précipitaient vers l'orangerie. Certains à l'extérieur avaient déjà formé une file de seaux, et les contenants d'eau passaient par les fenêtres dans l'orangerie pour éteindre les flammes. Le duc semblait avoir repéré le feu à temps. Avec Cam, il était parvenu à le confiner surtout à l'orangerie, empêchant la destruction du massif manoir historique.

Un cri dément résonna dans l'air, et Charlotte reconnut immédiatement la voix de Willa.

Hartwell le savait aussi, car il fila hors de l'orangerie et fonça sur les escaliers massifs, son visage luisant et couvert de suie devenu un masque de furie et d'effroi. Cam et

Charlotte étaient sur leurs talons. Ils foncèrent à travers les corridors sans fin, vers l'aile familiale où Willa était alitée.

Alors qu'ils tournaient le coin près des appartements familiaux, l'odeur rance et la fumée assaillirent les narines de Charlotte. L'odeur de feu provenait nettement de la chambre de Willa. Elle refoula un sanglot. Et s'il était déjà trop tard ? Alors, ils aperçurent une ombre tourner le coin, suivie de Nathan, échevelé et couvert de sueur, qui transportait une Willa gémissant dans ses bras.

Le duc poussa un juron et tendit les bras vers sa femme. Les yeux baissés, Nathan déposa Willa dans les bras anxieux de son mari.

Charlotte se précipita à son côté.

— Tu n'as rien ?

Willa toussa.

— Ça va, ça va, c'était la fumée. J'ai été saisie.

Elle leva les yeux vers le visage inquiet de son mari.

— J'ai hurlé en voyant les flammes. Vraiment, je vais bien.

Un groupe de domestiques qui s'étaient élancés à leur suite se trouvaient maintenant dans le corridor, à une distance respectueuse.

Cam se tourna vers eux.

— Il y a un incendie dans l'aile familiale. Vite, une autre chaîne.

— Non, dit Nathan.

Le visage de Cam se durcit.

— Non ?

— Je veux dire que ce n'est pas nécessaire, dit Nathan en se frottant le front du dos de sa main. Je suis parvenu à éteindre le feu. C'étaient seulement les rideaux de la chambre de madame la duchesse.

Le soupçon luisit dans les yeux ambre de Cam.

— Et que faisais-tu là, je te le demande ? Qu'avais-tu à faire dans l'aile familiale ou encore dans la chambre à coucher de madame la duchesse ?

La colère et le ressentiment éclatèrent sur le visage de Nathan. Sa réplique fut noyée par un cri de Willa. Le visage déformé par la douleur, elle se tortillait dans les bras de Hartwell tout en serrant son ventre.

Le duc pâlit. Se hâtant dans le couloir, il ouvrit d'un coup de pied la porte de la chambre d'amis la plus proche.

— Madame Chalmers ! cria-t-il à la gouvernante dès qu'il entra dans la pièce avec Willa dans ses bras. Faites préparer cette chambre pour madame la duchesse.

La gouvernante courut après le duc tandis que Nathan se précipitait dans le couloir et tournait le coin.

Charlotte s'élança à la suite de son frère, la poitrine remplie d'inquiétude alors qu'elle descendait en courant les escaliers à sa suite.

— Nathan. Nathan !

Il s'arrêta abruptement.

— Qu'est-ce qu'il y a ?

— Qu'est-ce qui se passe ? demanda-t-elle en essayant de reprendre son souffle. Pourquoi étais-tu dans la chambre de la duchesse ?

— J'ai voulu la sauver.

Il regarda autour pour voir s'ils étaient seuls, puis il fit faire quelques pas à Charlotte dans la bibliothèque vide et obscure. Refermant discrètement la porte, il dit :

— Ce n'était pas un accident, Charlotte. C'était une attaque des luddites.

— Non.

Secouant la tête d'incrédulité, elle posa une main sur sa poitrine.

— Comment peux-tu bien le savoir ? Ne me dis pas que tu y as participé.

Son visage se rembrunit.

— Bien sûr que non. J'ai reconnu des visages dans la foule.

— Des casseurs de machines, souffla-t-elle.

— Oui, et l'un d'eux se dirigeait vers la maison principale. Je savais qu'il avait l'intention de nuire.

Le soulagement s'empara d'elle.

— Dieu merci, tu as cueilli Willa à temps.

— Ne me fais-tu pas vraiment confiance, Lottie ?

Le reproche était livré sur un ton gentil.

— Croyais-tu vraiment que Ned Ludd avait repris la cause ?

La culpabilité lui fouailla la poitrine.

— Non, bien sûr que non, pardonne-moi. Cette soirée a été si éprouvante !

— Tu n'étais pas seule à le penser.

D'un air fatigué, il se frotta le côté de sa tête.

— Certains des luddites qui m'ont vu ce soir ne se sont pas aperçus que je suis maintenant le chef cocher ici. Comme toi, ils ont supposé que j'étais revenu mener la charge.

— Ils te considèrent encore comme leur chef. Tu es Ned Ludd. Il ne peut y en avoir un autre.

Une émotion sombre traversa le visage de Nathan.

— Il est grand temps que Ned Ludd disparaisse à jamais et devienne vraiment un mythe, dit-il en la regardant d'un air troublé. Je n'ai jamais voulu cela, Charlotte. Je cherchais uniquement la justice.

— Je sais.

— Je ne m'attendais pas à cela, dit-il en faisant un geste de la main en l'air. La violence, les meurtres…

Sa voix s'étiola avant de devenir vive et sérieuse.

— Je dois y aller. L'incendie est maîtrisé, mais je dois déterminer si nous avons perdu des animaux et où loger ceux qui ont survécu.

Après une bise rapide à Charlotte, Nathan se glissa hors de la bibliothèque.

Elle sentit une autre présence avant de vraiment voir qui que ce soit. Tressaillant de malaise, elle éprouva un picotement dans les cheveux sur sa nuque. S'obligeant à se retourner le plus calmement possible, elle regarda avec attention dans les coins sombres de la longue pièce rectangulaire. Comme presque tout le manoir Fairview, la bibliothèque de deux étages était énorme et impressionnante, avec des étagères remplies qui s'élevaient sur les deux étages.

Son regard attentif finit par le trouver alors sortait de derrière les marches qui menaient à l'étage de la bibliothèque.

Des ombres tombèrent sur la silhouette fatiguée et échevelée. Ses cheveux ambre étaient encore plus ébouriffés que d'habitude, et sa chemise de batiste fine, souillée, pendait sur sa culotte. Il la regarda, les paupières basses, avec le regard faussement paresseux du prédateur au repos.

— Cam, dit-elle, sentant des picotements sur la peau de son crâne. Je ne vous voyais pas là.

— De toute évidence.

Il fit un pas lent et menaçant vers elle.

Elle recula avec précaution.

— Que faites-vous ici ?

— Je suivais votre frère. Quand je vous ai entendus arriver derrière moi, je me suis glissé ici pour m'écarter du chemin.

— Oh.

— Oui, oh. Il semble que mes soupçons à l'égard de cet homme étaient justes.

La terreur se répandit en elle. Il avait donc tout entendu.

Il regarda son visage avec intensité.

— Pourquoi ne m'avez-vous pas dit, ma chère, que j'ai eu le plaisir de rencontrer l'illustre et fort insaisissable Ned Ludd ?

Chapitre 16

Le ton glacial de sa voix fit frissonner l'âme de Charlotte. L'amusement pétillant qu'elle adorait dans ses yeux verts ensoleillés n'était plus; il était remplacé par un regard dur et froid qui lui transperçait le cœur.

— J'ai essayé de trouver une façon de vous le dire, dit-elle, étonnée par le ton calme de sa propre voix.

— De toute évidence, vous n'avez pas essayé à fond.

— À quoi cela aurait-il servi?

— À quoi?

Ses traits creusés se tordirent de colère. Fonçant vers elle avec la rapide agilité d'un cougar, il la saisit par le bras et la tira vers lui. Elle se laissa faire, sachant qu'il ne lui ferait jamais aucun mal. Pas physiquement, du moins. Son odeur d'alcool se mêlait à l'aura masculine et musquée qui ne manquait jamais de la captiver. Même maintenant.

— Quel dommage, n'est-ce pas, ma chère, que je n'aie pas appris cela avant que votre frère et ses acolytes aient brûlé les étables?

Sa bouche était posée tout près de son oreille, son souffle chaud la caressant rudement.

— Les chevrons auraient été parfaits pour glisser un nœud coulant au cou de votre frère et le regarder se balancer.

Le désespoir tordait Charlotte, et un bruit angoissé lui échappa. Une ombre traversa le visage de Cam. Lui dégageant abruptement le bras, il marcha à grands pas pour se verser un verre. Charlotte regardait son dos, la façon dont la tournure soignée des muscles ondulait sous la fine batiste de sa chemise.

Il se retourna vers elle, une amère désillusion gravée dans son visage.

— J'aurais dû tout déduire moi-même. Ned Ludd vient de Leicester, c'est connu. Fuller aussi. L'idiot mythique, Ned Ludd, travaillait là-bas, dans une manufacture, tout comme votre frère.

Cam leva son verre en une parodie de salut, les yeux givrés par l'émotion.

— Mais il n'est pas idiot, n'est-ce pas, Charlotte? C'est là notre malentendu.

Il eut un rire rauque et avala encore une lampée d'alcool, grimaçant en avalant le liquide.

— Félicitations, ma chère, la partie était bien jouée.

Il serra les poings, les ongles enfoncés dans sa peau.

— Cam, qu'allez-vous lui faire, à présent?

Émettant un juron à voix basse, il pivota pour lancer son verre contre le mur. Le bruit de la fragmentation explosa dans l'air, et les éclats de verre tintèrent dans tous les sens. Elle recula lorsqu'il se dirigea d'un pas lourd vers elle, les yeux brillants.

L'inquiétude l'envahit; elle ne pouvait penser à rien d'autre qu'au fait d'avertir son frère. Pivotant, elle s'élança vers la porte, le cœur hurlant dans sa poitrine. Les bottes de Cam cognaient derrière elle et se rapprochaient. Elle atteignit la porte, aveuglée par les larmes, et tenta de l'ouvrir avec des mouvements saccadés et paniqués. Cam s'écrasa derrière elle. En poussant des deux paumes contre la porte, il la coinça, l'empêchant effectivement de partir.

— Songez-vous à aller l'avertir?

Son murmure de désespoir la coupa.

— C'est toujours à lui que vous songez en premier, Charlotte? Même maintenant?

— Lâchez-moi, dit-elle en haletant alors qu'elle lui faisait dos et que son front était posé contre le bois sombre et froid de la porte. Vous m'avez dit assez clairement que je suis maintenant indigne de votre contact.

Poussant son corps contre elle, il coinça Charlotte à plat contre la porte.

— Oh, à peine. À peine.

Une douloureuse amertume teintait sa voix. Ses hanches étaient posées contre le creux de son dos, et son évidente érection la faisait frémir. Son corps réagit presque violemment : elle avait un besoin vorace d'être unie à lui.

Une dernière fois.

Pour repousser toute fracassante inévitabilité qui les attendait de l'autre côté de la massive porte de bois. Elle savait mieux que quiconque ce que Cam serait forcé de faire lorsqu'ils quitteraient cette pièce. Et ils comprenaient tous les deux qu'elle ne pourrait jamais le lui pardonner.

Se retournant vers lui, Charlotte poussa un cri de détresse, ses mains glissant vers les côtés de ses hanches pour le rapprocher d'elle. Elle se fondit contre lui, essayant d'assouvir sa faim. Les yeux interrogateurs de Cam la brûlaient.

— Oui, murmura-t-elle, le pouls cognant sur sa peau. Tout de suite.

La surprise éclata dans le visage de Cam.

— Ne permettez pas cela. Dites-moi d'arrêter.

Elle secoua la tête.

— Je ne veux plus de faux-semblant entre nous.

Il abandonna toute démonstration de courtoise retenue, déchirant très rapidement son corsage, arrachant le délicat tissu de son fourreau et la dentelle de son corset, la laissant nue, exposée à son regard. L'air frais baignait les bouts roses et gonflés de ses pâles mamelons.

Il la souleva contre le mur et l'y arrima, baissant la tête pour violer sa douceur. Il prit un bouton dans sa bouche et le tritura, le suçant, ses dents effleurant le point sensible.

Prenant les hanches de Cam entre ses jambes, elle accueillit la sensation de sa chair dure contre sa cuisse nue. Elle griffa sa chemise, la tirant de sa culotte, et désirant sentir sa peau, elle parcourut des mains la douce chaleur de son dos.

Il retira ses lèvres, regardant ses longs doigts qui lui caressaient les seins, dont les bouts étaient devenus lisses et luisants dans sa bouche. Les manipulant avec une quasi-révérence, il poursuivit le sensuel assaut de ses doigts habiles.

Puis il déboutonna sa culotte. Elle pleura presque sous le coup du soulagement lorsqu'elle vit sa virilité se dresser, raide et massive, impassiblement prête. Saisissant la jupe de sa robe déchirée, il la mit en botte autour de la taille de Charlotte. Puis il lui prit les fesses, étreignant sa peau nue dans sa poigne ferme et forte.

Dès que la dure érection de Cam s'enfonça en elle, le corps avide de Charlotte serra son sexe, l'attirant davantage en elle. Avec un calme rugissement, il s'y glissa rapidement et d'un seul coup. Elle cria, et la plénitude d'être jointe à lui annihila la désolation qu'elle ressentait. Cam fonça en elle avec une férocité qu'ils désiraient tous les deux. Le corps de Charlotte se ramollit, et elle l'absorba en elle autant qu'elle le pouvait. Les deux bougèrent frénétiquement, leurs corps trouvant rapidement un rythme cadencé.

Sa langue pilla la bouche de Charlotte. Sa courte barbe l'écorchait, mordant sa peau sensible. Elle lui rendit son baiser avec force, entrelaçant sa langue avec la sienne, goûtant le reste de brandy et la profondeur de leur désespoir partagé.

Se cognant mutuellement, ils explosèrent ensemble en un orgasme déchaîné et bruyant, pleurant de soulagement alors que la sensation les submergeait en vagues puissantes. Ils s'immobilisèrent un instant, haletants et entrelacés, luisants de transpiration. Le corps de Charlotte palpitait, et ses jambes tremblaient.

Toujours en elle, Cam enfouit son visage dans son cou.

— Est-ce que je t'ai fait mal ? murmura-t-il, la voix lourde de remords.

Elle secoua la tête, incapable de parler, les paupières brûlantes de larmes refoulées. Charlotte le serra contre elle, à la fois l'adorant et le détestant à cause de ce qu'il allait faire ensuite.

Il la dégagea avec une tendresse qui lui donna l'envie de pleurer. Prenant son menton entre ses doigts chauds, Cam frôla ses lèvres d'un baiser délicat et tendre. Il s'attarda comme pour savourer son goût, puis recula afin de rattacher sa culotte.

Il rentra sa chemise dans sa culotte, regardant Charlotte alors qu'elle remontait sa chemise de nuit pour se couvrir.

Elle savait qu'elle avait un air affreux avec ses cheveux de travers et ébouriffés. Ses lèvres lui semblaient gonflées, et ses joues étaient en feu là où le visage non rasé de Cam avait éraflé la tendre peau.

On frappa à la porte derrière eux.

— Miss Livingston? dit la voix hésitante de Clara, la domestique de Willa.

— Oui.

Raclant sa gorge gonflée d'émotions, elle rajusta tant bien que mal son corsage.

— Juste un instant.

— C'est madame la duchesse, madame, dit Clara à travers la porte. Le moment est venu. Le bébé s'en vient, et elle vous fait demander.

— Oui, bien sûr! cria-t-elle en réponse. Veuillez dire à la duchesse que je vais bientôt m'occuper d'elle.

Le regard impénétrable de Cam passa en un éclair avant de changer. Et soudain, il sembla se trouver très loin.

— Je dois y aller aussi.

Son ton était poli, distant, comme s'il l'avait déjà quittée. La main chaude de Cam glissa sur son épaule pour l'écarter de la sortie.

Elle déglutit avec peine, tentant en vain de calmer le sentiment d'étranglement dans sa gorge.

— Que vas-tu faire, maintenant?

— Tu sais ce que je dois faire, dit-il, les yeux brillant de regret. J'aurais tort de laisser mourir d'autres gens lorsqu'il est en mon pouvoir de mettre fin à la violence.

Il tendit le bras vers la porte et hésita, se retournant pour la regarder dans les yeux. Les fines rides qui entouraient ses yeux verts éclairés par le soleil semblaient s'être creusées pendant la nuit.

— Mais je sais aussi ceci. Il n'y aura jamais d'autre femme pour moi. Je t'ai déjà prise pour femme de toutes les façons qui comptent. Lorsque tu me quitteras, il n'y en aura pas une autre. Tu es l'épouse de mon cœur.

Elle refoula un sanglot, son cœur se gonflant jusqu'à ce qu'il paraisse trop gros pour sa poitrine. Elle appréciait presque l'ironie : le débauché amendé devenu fidèle à une épouse fantôme.

Cam ouvrit la porte et sortit sans lui accorder un autre regard. Alors qu'il s'éloignait à grands pas, le bruit de ses bottes fit cliqueter un rythme persistant sur les planchers de marbre.

Écoutant le bruit de ses pas s'évanouir graduellement, elle repassa les paroles que Cam avait prononcées, lors d'un après-midi qui n'était pas si éloigné. Il y avait une façon, avait-il dit, d'écraser le mouvement luddite en plein essor : « Il faut couper la tête du serpent. Ned Ludd doit être pendu. »

Le chagrin explosa dans sa poitrine. Glissant au plancher, dos contre la porte, elle sentit un sanglot gagner sa poitrine, et elle se laissa envahir par la peine.

• • •

Après des heures sans fin et l'accouchement d'un fils en santé par Willa, Charlotte partit à la recherche de son frère. Elle avait désespérément cherché Nathan avant de s'occuper de la naissance, mais il était introuvable. Elle ne pouvait qu'espérer qu'il se fût échappé avant que Cam lui ait mis la main dessus.

Lorsqu'elle ne le trouva pas dans l'étable détruite ni dans la grange où les chevaux étaient logés temporairement, l'anxiété irradia dans sa poitrine. De retour à la maison, elle trouva Digby en train de superviser le nettoyage du solarium.

— Auriez-vous vu le cocher, par hasard ? demanda-t-elle au majordome, le cœur battant.

— Non, madame, pas depuis qu'il est parti à cheval ce matin avec le marquis.

Son cœur faiblit.

— Monsieur Fuller est parti avec lord Camryn ?

— Oui, miss. Juste après que le milord ait appelé l'agent de police.

La bande d'anxiété se resserra autour de sa poitrine, la vidant de son air.

— Où sont-ils allés ?

— Il est parti.

La voix sûre et solide de Cam résonna derrière elle.

— Et il ne reviendra pas.

Elle se tourna vers lui. Il paraissait avoir poussé son cheval à fond, le visage bronzé par un excès de soleil, la lassitude creusant les rides de son visage. Ses vêtements d'équitation étaient froissés, et ses bottes étaient couvertes de la poussière du chemin.

— Tu l'as envoyé au loin.

Il opina gravement de la tête.

— Je me suis occupé de tout.

L'angoisse remplit sa poitrine. Elle savait qu'elle devait s'y attendre. Mais jusqu'à cet instant, Charlotte n'avait pas vraiment cru que Cam passerait à l'acte. À fond, elle ne l'avait pas cru capable de la blesser si profondément et irréparablement. Quelle idiote elle faisait !

Le contournant en trébuchant, cherchant désespérément à s'enfuir, elle courut à l'aveuglette dans le corridor. Nathan était parti. Peut-être avait-il été pendu. Lui avait-on enlevé la vie au moment même où elle avait aidé à mettre une nouvelle vie au monde ?

— Charlotte !

La voix urgente de Cam rompit la peine qui cognait dans ses oreilles.

— Charlotte, attends !

S'arrêtant, elle se retourna abruptement et se jeta vers lui, une furie pleine de souffrance lui déchirant les entrailles.

— Que veux-tu que j'attende ? Qu'est-ce qu'il reste à dire ?

Elle lui frappa le torse à deux poings.

— Je sais que tu as appelé l'agent.

— Calme-toi.

Il lui prit doucement les poignets.

— Je dois te dire ce qu'il est advenu de Nathan.

— Crois-tu que j'ai envie d'apprendre les détails ? N'en as-tu pas fait assez ?

La pression lui écrasait la poitrine. Elle ne pouvait respirer. S'échappant de sa poigne, elle se retourna et marcha en trébuchant vers les portes de la terrasse, impatiente de sortir. Peut-être pourrait-elle prendre une bouffée d'air frais.

Elle courut jusqu'au jardin et pleura, les mains sur les genoux, aspirant de façon entrecoupée l'air chaud et calme dans ses poumons écrasés.

Cam courut la rejoindre.

— Charlotte, mon amour…

— Arrête.

Se penchant, elle chercha son souffle avec peine. Elle avait l'impression d'être étirée comme une peau de lapin.

— Je t'en supplie. Laisse-moi seule, c'est tout.

— J'ai cru que tu aimerais savoir où se trouve ton frère.

— Es-tu obligé de dépeindre l'image vivante de Nathan se balançant au bout d'un arbre ?

— Il est plutôt en train de voguer sur un navire.

— Je te déteste, dit-elle en bafouillant. Il vogue sur un… quoi ?

La voix de Cam s'adoucit.

— Fuller a décidé de chercher fortune dans les Indes occidentales.

— Que veux-tu dire ?

Elle se redressa et fixa le visage de Cam.

— Comment est-ce possible ?

— En ce moment, il est sur l'un de mes vaisseaux commerciaux, qui devrait prendre la mer d'un instant à l'autre.

Elle prit une grande goulée d'air qui soulagea ses poumons désespérés.

— Mais Digby a dit que l'agent de police était venu.

— Et il m'a informé du fait qu'une fois que Ludd serait appréhendé, il n'y aurait aucun procès. Il aurait été pendu à l'arbre le plus proche en exemple à tous les autres agitateurs.

— Tu ne l'as pas dénoncé alors que tu en avais la chance ?

— Et leur permettre de le donner en spectacle de façon horrible ? Il aurait eu à affronter le nœud coulant d'un bourreau sans bénéficier d'un procès. Quelle sorte de justice serait-ce donc ?

La vérité la frappa avec un élan étourdissant.

— Nathan est libre ? murmura-t-elle, à peine capable de le croire.

Il opina de la tête.

— Je l'ai accompagné pour une partie du trajet jusqu'au port. Lorsque monsieur Fuller arrivera sur les îles, un emploi l'attendra à nos bureaux d'expédition des Indes occidentales. D'ailleurs, je suis maintenant associé au duc dans cette exploitation.

Elle secoua la tête, tentant en vain d'éclaircir son esprit hébété.

— Je ne sais pas quoi dire.

— Avant longtemps, monsieur Fuller sera confortablement installé dans sa nouvelle vie.

Une vague monstrueuse de soulagement faillit l'emporter. Cam tendit rapidement le bras pour lui donner de la force.

— Alors, comme tu peux le voir, dit-il, tout va bien.

— Oui, dit-elle, encore incapable de croire le sentiment de joie qui commençait à lui gonfler la poitrine. Tout va bien.

Chapitre 17

*L*a fin de semaine suivante, l'été commença à se faner pour devenir l'automne, et les arbres verdoyants se transformèrent graduellement en un brillant déchaînement de rouges, d'oranges et d'ors. Le soleil adouci penchait au-dessus du village manufacturier de Cam et jetait sur les cottages de pierre couleur sable des teintes pittoresques de lumière dorée.

Aspirant l'air frais de la campagne, Charlotte inspectait la région, qui ne semblait pas avoir tellement changé depuis sa dernière visite, plusieurs semaines auparavant. Aucune cicatrice évidente des émeutes et des troubles n'était visible. On avait dressé des tables près de l'église de pierre blanche, où des femmes s'affairaient en préparation du pique-nique auquel tous les travailleurs allaient participer plus tard au cours de la journée. Le village même semblait plus animé, à présent. Un magasin neuf et propret avait ouvert ses portes, et les enfants avaient commencé à fréquenter l'école.

— Cet endroit a-t-il un nom? demanda-t-elle à Cam alors qu'ils marchaient lentement au centre du village.

— Nous n'en avons pas encore choisi un, mais j'ai quelques idées.

— Lesquelles?

— Charlottesfield a un certain cachet. Ou Charlottesford. Elle sourit en secouant la tête.

— Continue.

— Chartlottesly.

— Arrête, dit-elle en riant alors qu'ils atteignaient l'école. Allons voir étudier les enfants.

— Désolé de te décevoir, mon amour, mais les élèves ont aujourd'hui congé en raison du pique-nique.

— Oh, dit-elle en faisant une moue déçue. Eh bien, j'aimerais tout de même la voir.

Même sans ses enfants, la salle de classe paraissait très vivante. Leurs dessins ornaient un mur. Elle les examina, souriant devant les plus rudimentaires, les couleurs vives et les traits simples évidemment tracés par les plus jeunes. Elle longea la pièce baignée de soleil, absorbant l'odeur de peinture, de bois frais et d'enfants actifs. La carte murale attira son attention, et son regard pointa aussitôt vers les Indes occidentales.

— Nous allons bientôt recevoir de ses nouvelles, dit la voix douce de Cam derrière elle. Cela ne fait que deux semaines.

— Oui, bien sûr, dit-elle en sentant une lourdeur s'installer dans sa poitrine. Je ne pourrai jamais de te remercier suffisamment pour ce que tu as fait.

— Qu'y a-t-il, ma chérie? dit-il en la faisant se retourner vers lui. Pourquoi cette tristesse? Je l'ai vue plus d'une fois depuis que Nathan nous a quittés.

Elle baissa les yeux.

— Ce n'est rien.

— Ce n'est pas rien.

Il plaça un doigt sous son menton, penchant sa tête vers le haut jusqu'à ce qu'elle regarde dans ses yeux vert ambre.

— Nous nous sommes juré qu'il n'y aurait plus de secrets entre nous

— C'est ce qui m'inquiète.

— Quoi donc?

— Que mon égoïsme finisse par te ruiner, dit-elle en sentant une douleur aux poumons. La passion est une chose qui se fane. Et alors, il te restera une épouse qui est la sœur de Ned Ludd. Si cela devenait connu, tu serais anéanti.

— Nous avons déjà parlé de cela.

Il respira, libérant lentement son souffle par ses narines avant de continuer.

— Aucun d'entre nous ne sait ce qu'apportera l'avenir. Mais nous savons que toi et moi, nous allons nous marier. Tu portes peut-être déjà mon enfant dans ton ventre.

— Tu m'as aimée suffisamment pour laisser partir Nathan. Je devrais peut-être t'aimer suffisamment pour te laisser partir.

Il se mit à rire, incapable de s'arrêter alors qu'elle envisageait de faire le plus grand sacrifice imaginable.

— Je ne vois pas ce qu'il y a de si amusant, dit-elle en reniflant et en se retirant.

— Espèce d'idiote.

Il referma ses longs doigts autour du haut de ses bras, de façon à la retenir en place.

— Je l'ai laissé aller pour toi, oui. Mais je n'ai pas compromis mes principes. Selon toute vraisemblance, ils allaient le torturer et le pendre sans forme de procès. Permettre cela aurait compromis mon sentiment moral.

Il l'attira plus près de lui.

— Ne fais pas cette mine. Si cela se trouve, tu m'as aidé à examiner mes principes et à y rester fidèle.

Elle se rapprocha pour scruter son visage.

— Mais tu as dit, en quittant la bibliothèque, une fois que nous avons…

Elle rougit en se souvenant de ce qui s'était passé entre eux avant d'ajouter :

— Tu as dit que je savais ce que tu devais faire.

— Je ne suis pas un saint, dit-il en soulevant un coin de sa bouche. Je voulais réprimer la violence. Envoyer ton frère aux Indes occidentales n'était pas un hasard. Il ne peut pas causer beaucoup de problèmes, là-bas.

— Tout de même, tu as pris un grand risque.

— Je ne pouvais pas les laisser pendre ton frère. Il n'avait aucune chance. Peut-être que s'il y avait eu une possibilité de procès équitable…

Lui prenant le visage entre ses mains, il posa un ferme baiser sur ses lèvres.

— Je t'aime, Charlotte. Tu fais ressortir ce qu'il y a de mieux en moi, tu me fais exiger le meilleur de moi-même. Tu ne peux même pas envisager de me quitter.

— Je t'aime aussi, murmura-t-elle, la douleur s'apaisant dans sa poitrine. Comment pourrais-je faire autrement ? Regarde-toi. Tu es parfait.

Il la prit dans ses bras, la serrant contre lui.

— Nous nous marions la semaine prochaine. Dis oui et promets-moi de ne jamais même envisager de me quitter de nouveau.

— Je veux t'épouser dès que possible, dit-elle en se blottissant dans sa chaude étreinte, inspirant son parfum familier, musqué et masculin mêlé aux odeurs de chevaux et de cuir. Je te promets de ne jamais te quitter. Je doute de pouvoir y survivre.

— Alors, nous nous entendons. Finalement, dit-il en appuyant doucement ses lèvres sur les siennes.

Se rappelant où ils étaient, elle se détacha.

— Oh, Cam, je peux maintenant t'aider à mener à bien ton projet d'école.

Il la saisit avant qu'elle puisse complètement se détacher de lui.

— Oh, non. Tu ne t'en vas pas.

Il la rapprocha et l'embrassa profondément.

L'euphorie monta en elle, et le bonheur rendit son cœur léger.

— Cam, il ne faut pas. Pas ici. C'est une école.

— Balivernes. C'est là où les gens viennent s'instruire.

Il l'attira jusqu'au plancher de bois luisant, ses mains habiles la parcourant, et sa magie opéra jusqu'à ce qu'elle ait les jambes chancelantes.

— Et si je me rappelle bien, nous avons une leçon fort importante à terminer depuis la dernière fois que nous nous sommes trouvés ici.

— Comme si je pouvais oublier.

Elle soupira avec contentement, s'affaissant au plancher avec lui.

— Je ne voudrais sûrement pas argumenter avec un instructeur aussi accompli. Après tout, je suis fort déterminée à être une excellente élève.

Épilogue

Trois ans plus tard.

Appuyée contre le chambranle de la porte du bureau, Charlotte sourit en voyant Cam à quatre pattes avec les jumelles qui se bousculaient tant bien que mal sur son dos avec des éclats de rire ravis.

Il hennissait et grognait d'une voix faussement menaçante, oscillant d'un côté et de l'autre en tentant de les démonter. Sa cravate était en désordre à cause du jeu, et ses cheveux étaient de travers, comme d'habitude.

— Je suis un cheval trop sauvage pour vous !

La scène contrastait avec le décor sérieux du bureau du marquis, avec ses tapis orientaux, ses boiseries foncées et ses riches fauteuils de cuir.

— Tiens bon, Caro ! bredouilla Sophia, dont les boucles folles de couleur ambre rebondissaient et dont les yeux bleu pâle exprimaient la joie.

Caroline, plus sérieuse que sa sœur, tenait bon avec une expression déterminée dans ses yeux vert doré, ses douces

boucles brunes en l'air. Leur père parvint à les jeter doucement sur le tapis, mettant fin au jeu, et les filles ricanèrent et
se tortillèrent en essayant d'échapper à ses chatouillements.

— Eh bien, dit Charlotte avec un sourire malin. Il est
bien que tu ne les excites pas trop juste avant qu'elles se
mettent au lit.

Il lui sourit de là où il était assis sur le tapis, les mains
posées derrière lui alors que Sophia et Caroline grimpaient
sur lui comme s'il était un arbre.

— Les filles, nous devrions dire à Maman de venir jouer
à dada avec nous, dit-il avec un éclat grivois dans les yeux.
Veux-tu jouer à dada avec nous, Maman?

— Oui, oui! crièrent les filles à l'unisson.

Elles bondirent et coururent vers elle, chacune tirant sur
l'une de ses mains.

En riant, elle s'agenouilla pour les étreindre toutes deux
et semer de bruyants baisers sur leurs cous.

— Peut-être une autre fois, dit-elle d'un ton ferme et en
se redressant. Maintenant, vous devez courir vers Nounou,
qui vous attend pour vous donner votre bain.

Les filles gémirent, lançant un regard irrité à leur père,
cherchant un soutien.

Cam leva les mains en l'air, les paumes tournées vers le
haut, en geste de reddition.

— Nous ne pouvons contredire à la fois Maman et
Nounou. Elles sont beaucoup trop redoutables.

Il grogna et fit un mouvement soudain vers les jumelles.
Sophia et Caroline poussèrent des rires aigus et anxieux et
coururent par la porte vers le lieu où les attendait leur
nounou.

En les regardant aller, Charlotte secoua la tête.

— Tu ne devrais pas les exciter ainsi juste avant le coucher. Ce n'est pas juste pour Nounou.

— Vas-tu me donner la fessée parce que j'ai été si vilain?

Cam bondit sur ses pieds et se glissa d'un pas léger pour la tirer dans ses bras et lui donner un long et lent baiser. Le cœur de Charlotte fit un petit bond, comme toujours lorsqu'il la touchait, même après deux enfants et trois ans de mariage. Elle finit par se détacher, se rappelant pourquoi elle s'était dirigée vers lui au départ.

— Le courrier est arrivé.

Il regarda la lettre qu'elle tenait à la main.

— Qui t'a écrit?

— C'est Nathan

Son cœur flottait dans sa poitrine.

— Pourquoi ne m'as-tu pas dit qu'il supervise maintenant ton exploitation commerciale aux Indes occidentales?

— Fuller a fait doubler l'entreprise depuis son arrivée. Hart et moi avons discuté du fait de lui offrir éventuellement une partie de la compagnie.

— Tu continues de m'étonner chaque jour, dit-elle doucement, lui tendant une deuxième lettre. Celle-ci t'est adressée.

— À moi?

Il la lui prit et l'ouvrit en déchirant l'enveloppe.

— C'est Sebastian. Sa femme est finalement revenue à la maison.

— Sa femme? s'exclama Charlotte, oubliant complètement son frère. Sebastian s'est marié?

— Oui, dit-il distraitement, lisant encore la lettre. Bien sûr.

— Bien sûr ? dit-elle en secouant la tête. Quand ? Pourquoi ne nous a-t-il pas invités ?

— Ce n'aurait pas été possible. C'était il y a des années. Bien avant notre rencontre.

— Sebastian s'est marié il y a des années ?

Elle posa la main sur la lettre pour attirer toute son attention.

— Pourquoi n'en ai-je jamais entendu parler avant ?

Il leva les yeux en haussant les épaules.

— Tu ne me l'as jamais demandé.

— C'est parce que je tenais pour acquis…

Elle s'arrêta, gênée de dire la pensée à haute voix.

Son regard prit un intérêt plus grand.

— Tu tenais quoi pour acquis ?

— Qu'il n'avait peut-être pas d'intérêt pour… euh… les femmes.

Le front ridé par la confusion, Cam se leva lorsqu'il saisit ce qu'elle voulait dire.

— Tu as pris Sebastian pour une pédale ? dit Cam en renversant en arrière sa crinière ébouriffée tout en poussant un rire. C'est loin d'être le cas, je te l'assure.

— Eh bien, qu'est-ce que je devais croire ? dit-elle en posant les mains sur ses hanches. Personne ne mentionne jamais le mariage à son propos, et le silence de ta famille sur cette question particulière semble assez délibéré.

Le sourire de Cam fondit.

— C'est un sujet délicat. Il n'entendait pas se marier.

— Qu'est-ce qui s'est passé ?

— La fille n'était qu'une enfant, et Sebastian n'était pas beaucoup plus âgé lors de l'arrangement.

Déposant la lettre, il se glissa dans un fauteuil et l'attira de façon à ce qu'elle s'assoie sur ses genoux

— Il ne l'a regardée qu'une fois, le jour de leurs épousailles.

Elle lui passa un bras autour du cou.

— Pourquoi y a-t-il consenti?

— Il n'avait pas vraiment le choix, dit-il avec un profond soupir qui alourdit l'air. L'union était destinée à régler une dette de jeu entre mon père et le duc de Traherne.

— Le duc de Traherne? dit-elle en reculant. Sebastian est marié à la fille d'un duc et tu n'as jamais cru bon de le mentionner?

— Qui un jour sera duchesse à part entière grâce à une loi du parlement. Il n'y a pas d'héritier mâle.

— Renversant. Où était-elle cachée pendant toutes ces années?

— Mirabella était dans une institution pour jeunes filles, puis à l'étranger, dit-il en fouinant son cou. Bon, ça suffit. Où en étions-nous?

— Ça ne suffit sûrement pas. Je veux entendre l'histoire complète au dîner, dit-elle en se relevant de ses genoux. Viens, la cuisinière n'aimera pas que ses créations soient servies froides.

Il lui prit la main, la ramenant sur ses genoux

— Pas si vite, dit-il en se déplaçant pour l'embrasser profondément. Nous n'avons pas encore eu la chance de jouer au cheval.

— Tu es incorrigible, dit Charlotte en riant et en passant la main à travers ses cheveux emmêlés dans une vaine tentative d'y mettre de l'ordre. Et puis, tu m'as déjà emmenée faire la plus belle promenade de ma vie.

Retirant la main de son épouse de ses cheveux, il déposa un baiser chaud et insistant sur l'intérieur de sa paume.

— Ah! Mais ce n'est que le début.

Il la regarda dans les yeux.

— Allons nous promener, mon amour. Ce sera long et splendide.

Remerciements

Écrire débute sous la forme d'un projet solitaire, mais beaucoup de mains habiles sont requises pour arriver à mener ce livre à terme, et je dois les remercier : D'abord, merci à mon éditrice, Alethea Spiridon Hopson, qui a fait en sorte que ce livre soit bien meilleur que lorsqu'elle l'a reçu. Merci à ma merveilleuse agente, Kevan Lyon, de nous avoir rassemblées.

Merci à Megan Yaqub pour son incroyable générosité et son indéfectible appui. Merci d'avoir lu à maintes reprises chaque mot, du premier jet au dernier, et de n'avoir jamais cessé de m'offrir des commentaires intelligents et profonds.

Merci à mon mari, qui m'a dit que je devrais écrire mes propres romans bien avant que je m'en croie capable et qui a qualifié mon travail d'« artistique » dès le tout début. Merci à mes exceptionnels garçons, Zach et Laith, qui sont le plus grand bonheur de ma vie. Merci d'être restés patients pendant que votre maman poursuivait son rêve d'écriture. Je vous aime tant que je ne peux pas l'exprimer.

Merci à ma mère, qui a soutenu de façon infaillible mon écriture, même si mes livres contiennent des scènes qui la font rougir.

Finalement, merci à mon père, un homme à l'intellect sans limites qui m'a enseigné tout ce que je sais sur l'amour inconditionnel, la poursuite de l'excellente et le fait de vivre authentiquement. Mon seul regret est qu'il soit décédé avant le début de mon parcours d'auteure. Je sais qu'il aurait vraiment adoré tenir mon livre publié entre les mains. Je te dédie celui-ci, papa.

À propos de l'auteure

Autrefois journaliste à la télévision, Diana Quincy a plutôt choisi d'inventer des récits dont la fin heureuse est certaine.

Ayant grandi dans le milieu du service diplomatique et vécu dans plusieurs pays, Diana est maintenant établie en Virginie avec son mari et leurs deux fils. Lorsqu'elle n'est pas penchée sur son ordinateur portatif ou en train d'essayer de suivre le rythme de la lessive, elle aime la lecture et le temps passé en famille, et elle rêve de voyager — beaucoup plus que ce que son horaire et son budget lui permettent.

Diana adore avoir des nouvelles de ses lectrices et lecteurs. Vous pouvez la suivre sur Twitter (@Diana_Quincy) ou visiter son site web au www.dianaquincy.com.

Si vous avez aimé *La séduction de Charlotte*, vous adorerez certainement l'extrait qui suit du prochain volume de la série, *La tentation de Bella*.

Ne manquez pas la suite

La tentation de Bella

Chapitre 1

Londres, Angleterre
Six ans plus tard.

— Il est temps de t'envoyer ta femme.

Sebastian souleva un noir sourcil.

— Où donc allez-vous me l'envoyer ?

Le duc de Traherne se redressa, et le carmin de son visage rougeaud prit une teinte plus foncée. Appuyant largement ses mains sur l'énorme bureau de bois de son cabinet, il se pencha en avant pour scruter le visage de son gendre.

— Maudite soit ton insolence, mon garçon !

Les ombres du soleil d'après-midi dansèrent sur ses bajoues battantes.

— Tu piges bien ce que je dis, mais tu fais comme si de rien n'était.

Sebastian se dirigea vers le buffet pour se verser un verre d'eau. Il s'efforça d'inspirer profondément, humant le riche arôme de livres reliés de cuir mêlé à la fumée de cigare éventé. Regardant par la fenêtre, il vit un carrosse à quatre chevaux aller d'un pas tranquille dans le propret quartier Mayfair et réprima une folle impulsion de courir après et de sauter à bord. Il lui importait peu de savoir où allaient ses occupants inconnus, pourvu que cela lui fournisse un répit des sombres boiseries de la salle d'étude de Traherne. Suivant du regard le véhicule, il vit la faible chance d'évasion lui échapper. Il se retourna vers le père de sa femme, prêt à affronter son sentiment palpable et grandissant d'indignation.

— Je ne suis pas venu ici pour discuter de Mirabella.

Il fit un geste vers les documents posés sur le bureau du duc.

— J'ai personnellement investi dans un certain nombre de propriétés, dont deux usines près de Manchester et une à Stockport. Ce sont des investissements sûrs. Je propose que nous rattachions des fonds de Traherne aux mêmes intérêts. Les papiers ont été préparés. Il n'y manque que votre signature.

— Au diable les questions de propriétés.

Le visage écarlate de l'homme plus âgé mit en évidence les vaisseaux sanguins rompus de son nez bulbeux.

— Vous êtes mariés depuis six ans, et pourtant, tu ne lui as toujours pas mis la main aux miches. Qu'est-ce qui ne va pas chez toi, jeune homme ?

Il ravala le dégoût que lui inspirait l'allusion dégoûtante à l'anatomie de sa propre fille. Regardant le duc droit dans les yeux, il dit :

— Veuillez vous abstenir de faire référence à ma femme en des termes aussi vulgaires.

S'affalant dans son fauteuil, il posa les coudes sur les accoudoirs.

— Qu'est-ce que tu as ? Bella a déjà 19 ans. Vous deviez consommer le mariage il y a deux ans.

Sebastian prit le siège de l'autre côté du bureau de Traherne.

— Ce que ma femme et moi nous faisons et à quel moment, cela ne vous regarde pas.

— Cela, c'est si vous le faites. Tu n'as même pas posé les yeux sur elle depuis les noces.

— À 17 ans, ma femme m'a écrit de l'école de jeunes filles en me demandant la permission d'aller en voyage à l'étranger. J'ai acquiescé.

— Je n'aurais jamais dû le permettre.

— Il ne vous appartenait pas de le permettre ni de l'interdire, dit-il calmement. C'est ma femme. C'est moi seul qui lui commande, maintenant.

Et il lui accordait autant de liberté que possible. C'était la moindre des choses après ce qu'elle avait subi entre leurs mains.

Les yeux de Traherne s'agrandirent devant l'impudence de Sebastian.

— Elle est à l'étranger depuis deux ans ! C'est ridicule.

Une sensation brûlante se déploya dans son torse.

— Là-dessus, nous nous entendons. « Ridicule » est un mot qui pourrait s'appliquer à juste titre à ce mariage conclu par vous et feu mon père.

Traherne secoua la tête avec une évidente incrédulité.

— La plupart des jouvenceaux seraient reconnaissants d'avoir épousé une duchesse et d'exercer un véritable pouvoir.

Sa main s'écrasa violemment sur le bureau en bois de rose, secouant un fouillis de papiers. L'un des feuillets se dégagea et flotta vers le plancher.

— Tout homme sain d'esprit serait enchanté de savoir que son fils sera duc, un jour.

Sebastian résista à l'envie de ranger les documents en désordre étalés sur l'énorme bureau en bois du duc.

— J'ai fait ma part dans ce pacte avec le diable. Le temps venu, je ferai mon devoir. Je supervise déjà les vastes propriétés des Traherne. Veuillez signer les papiers pour que je puisse m'occuper de mes affaires.

Monsieur le duc serra les poings sous son menton, les coudes posés sur les accoudoirs.

— Je n'ai pas d'objection à ce que tu supervises le duché. Il me plaît de savoir que je n'ai pas méjugé de ton caractère et de tes capacités. Tu t'es montré capable.

Sa voix s'éleva en même temps que l'exaspération.

— Sauf pour une chose. Vas-tu coucher avec ta femme ? C'est ton premier devoir. Ou bien est-ce que tu n'aimes pas les femmes ? Toutes ces années, je n'ai jamais entendu dire que tu gardais une maîtresse ni que tu visitais les lupanars.

Il agita la main avec dédain.

— Satisfais tes goûts, quels qu'ils soient. Cela m'importe peu, mais tu dois consommer le mariage. Il est impératif que tu engendres un héritier.